作家出版社 & 悬疑世界（上海浩林文化传播有限公司）

沉睡的女儿

哥舒意 著

作家出版社

目 录

许多故事都有共通的地方，在这本书里消失的故事，会在另外一本书里出现，很久没有遇见的人物，在意想不到的情节里相逢。

第一章　幽灵

身体轻松而沉重，某种真实的痛楚正离我越来越近。这是我最后感受到的东西。然后，我就不知道了。

这一年的秋天，我人生最后一次参加朋友的婚礼。婚礼在西郊一个别墅里举行，在客人向新人祝酒时，有个年轻姑娘坐到我旁边的座位上。她手上托着一贝牡蛎，那样子给人感觉却很亲切。

她发现我在注意她，于是不好意思地笑了一下，对我说：

"本来伴娘是要我来当的，可我推掉了。"

"为什么？"

"已经当过三次伴娘了，想来想去觉得麻烦，这样下去会厌倦结婚的。所以我还是安心坐在这里吃饭吧。"

她很年轻，虽然已经不是那种属于青春的年轻，但还是非常年轻，说话风趣，样子也好看。我望着她的眼睛。她的眼睛很清澈。不知道为什么我会有这样的感觉。但我觉得她很可能是医生。

"你是不是在医院工作？"

"你怎么知道？"她疑惑地问，抬起手嗅了嗅自己的衣袖，"是因为消毒水的味道么？明明用过香水……"

"不是味道，是感觉吧。"

"好准的感觉。"她笑了,"你呢?"

我茫然了一下,有那么短短的一瞬间,我不知道该怎么说。

"我写东西。"

对方好像有点不理解。

"写东西?什么东西?"

"写小说,写故事,写书。"

"那么,你是作家?"

"如果你觉得是的话。"我说。

年轻姑娘可能觉得我在说冷笑话,所以微微一笑。

婚礼后我们留了电话,后来开始约会。也许并不是正式的约会,两个人只不过是坐在一起说些什么。她二十五岁,是名儿科医生。我们第二次见面是在她工作的医院旁的一家咖啡馆里。她刚下班,面色有点疲惫,但样子还是比我精神得多。虽然已经是医生,但她周末还在一所大学进修心理学课程。

星期天,我去大学陪她听课,关于儿童心理的。和她在一起听课,跟很久以前一样。下课后,我们在大学的食堂蹭了饭,饭后还喝了学生享用的咖啡。然后我们又冒充学生光顾了学校附近的酒吧。她甚至一边把上课笔记拿出来假装复习,一边喝果汁饮料。我带了一本自己的书给她。

"这本是我的书里最不让人讨厌的,"我说,"尽管内容上差不多。"

她低头看手上书的封面。很暗的色调,连字也看不清。

"啊,谢谢。是写什么的呢,你的书?"

"算惊悚小说吧。出版社是这么打广告的。但我不觉得，不过无所谓。"

"哦，斯蒂芬·金那样的么？我喜欢的。"

我觉得她不会喜欢读这一类型的小说。大概只是客气一下，我并不在意，反正我已经不在意自己写的是什么东西。实际上，我不知道自己还在意什么，已经很久没写东西，连上一次做爱都忘记是什么时候的事了。时间一长，连性欲都没了。她大概是一年多来和我约会的唯一一个人。

年轻的儿科医生认真地翻读手上的小说。

"知道么，你是我认识的第一个写小说的。"她说，"这是我第一次和作家约会。"

这时我的脑袋深处开始隐隐作痛。我低头忍耐，那阵眩晕劲慢慢过去了。

"那么，去我家吧。"我说。

她抬起头，目光上移，像在审视着我的表情。

"……有点太快了吧？"她说。

"没有别的意思，只是不想再坐在这里。"我说，"放心，我家里连避孕套都没有。"

"喂喂……"她笑了起来，"不要连这个都说出来。"

路上还算顺利，至少我举止正常地和她到了家，城市上角一个高层建筑，景观尚可，底楼还有个玻璃天幕的室内泳池，晚上靠着窗户可以看见下面泳池里的人影。

　　房子在九楼，单客双居，百平左右，几年前从一个举家移民西班牙的人那里买的，我还问那个人为什么去西班牙，回答是看斗牛方便。那时写的两本小说销路不错，手上又有笔钱，而且正值楼市低谷，如果按现在行情来看，简直是象征性的价格，所以一下子就买了下来。

　　我一路思考这些，以保持头脑运转正常。事实上，直到开始吻她之前，我的心里还是一片安宁。但一旦开始接触到她的气息，我的头脑又开始晕眩起来。她的气息让我想起过去认识的人。

　　"你怎么知道我会跟你回来的？"她悄声问我。

　　"有个声音在里面，"我用右手食指敲了敲额头，"告诉我可以做什么不可以做什么。我听见它这样建议。"

　　"声音？"她好奇地问，"男的还是女的？"

　　"是……"

　　晕眩越来越快。我几乎立刻放开了她，手摸着脸。

　　"你怎么了？"

　　"没什么……我去一下洗手间。"

　　我摸索走到卫生间洗脸台前，打开水龙头，清冷的水流流过了我的脸。那股恶心的感觉好像也被带走了一些。我抬起头，从镜子里查看自己有没有异样。镜子里有一个脸色苍白的男人。他的神情枯涩，目光呆滞地看着我，视线甚至都无法聚焦。

　　我用手抹了把脸，脸上的水珠从下巴滴到了领口，我再次照了照镜子。忽然发现，卫生间里似乎还有一个人。还有一个人在注视着镜子里的我。

就在我的身后，靠近卫生间门的位置，站着一个穿着连衣裙的小女孩。她年龄看上去很小，身子也小小的。她不出声地看着镜子里的人。镜子里的她静静地望着我。

女孩？

我连忙回头，望向门的位置，可是那里什么都没有。

转回来再看镜子，镜子里失去了刚才的身影。眩晕感更猛烈地涌了上来，耳膜鼓胀得好像快要炸开了。

这是为什么呢？我明明看见她了。怎么又看不见了呢？

我拉开卫生间的门，地板似乎都在摇晃，我站都站不稳。年轻姑娘还靠在窗前望着外面的夜景。听见我出来，她转头看我，表情似乎带着惊讶。

"你有没有看见……看见一个女孩？"我问她，房间里的空气好像不够用了，一连喘了几下才接得上话，"是不是你带来了一个女孩子？"

"女孩？什么女孩？我没看见啊。"她惊讶地看着我，"你的脸色怎么……"

"有点头痛……"

"头痛？"

"老毛病，没什么……"

地板摇晃得更厉害了，耳朵里的轰鸣像是轰炸机来袭，头痛越来越剧烈。我环顾房间，寻找那个小女孩的踪影，可是四周一切都旋转了起来，越来越快，快得我喘不过气。

我再也站不住，一下子跪在地上。

　　年轻姑娘好像想过来拖起我，可是头痛要把我压碎了。我双手捂住头，额头撞在地板上，一下一下用力地撞，好减轻里面的疼痛。我想说话，告诉她没什么关系，等会儿就没事了，可是无论我怎么张口喊叫，都发不出声音。也可能是我自己听不见，除了轰鸣声，耳朵里再也听不见其他的了。很多鸟在我头脑里嘶鸣，成千上万只鸟。

　　她用力扳起我的头，大声对我说话。我不明白她在干什么，她难道没有看见刚才那个小女孩么？我看见她的嘴一张一合，可我听不见她说的话。

　　轰鸣声越来越大，越来越大，越来越大……

　　……

　　忽然，它一下子就完全消失了。

　　我摔倒在地上，浑身都汗湿了，汗水流到了眼眶里，一切都变得模糊起来。那个小女孩的身影也模糊掉了。

　　"呼吸……保持呼吸……"

　　我听见年轻的儿科医生在不停地告诉我什么，好像在很遥远的地方……

　　我被带去了医院，她上班的地方。她的同事们先给我做了一些诊疗，查看了我的眼睛，测量了心跳和血压。然后我接受了一系列的身体检查，还有一台很大的机器扫描了我的头部。头部的疼痛虽然早已经结束，我仍然浑身乏力，在结束体检后的剩余时间里，我茫然地在她的办公室里等待，和她的病人，那些生病的小孩坐在一起。

　　两天以后，结果出来了。

　　年轻的儿科医生再次来到我的旁边。她在我身边坐了下来。

　　"检查结果出来了。"过了会儿，她说。

　　"哦。"

　　"可能不是什么好消息。"

　　"是么？"

　　她从病历夹里拿出了几张胶质图片，递到我手上。我举起来看了看，好像是我的CT检查结果。

　　"你一直有头痛的？"

　　"嗯。"

　　"而且还一直看到别人看不到的东西，听到别人听不到的声音，就好像你说看到了一个女孩……"

　　"我确实看到了。"

　　"那其实只是你的幻觉。"她说，"因为你生病了，在你的大脑里面。"

　　"我不太懂……"

　　她的手指停留在图片上两个半圆形侧方的阴影位置。我看着她的手指，她的手指纤细漂亮。

　　"看见了么，这个肿块。"

　　"肿块？"

　　"你的大脑里长了一个肿瘤。"她说，"你得了脑癌。"

　　我目不转睛地看了一会儿那片阴影，看得都有些累了。

　　"这说明了什么？"我伸手揉了揉眼睛，"我头疼是因为脑袋里有一个肿瘤？”

“我建议你马上住院治疗，不然你很快就会死的。”

“怎么治？”

“开刀，做开颅手术切掉它。当然手术也有风险，不是百分百安全的，”她停顿了一下，“而且手术成功后，很有可能会有后遗症。我知道你不想听这些，但我必须要告诉你。总之只能赌一次。”

我想了想，可是总感觉她说的是和我无关的事。因为现在我的脑袋已经不疼了，就是昏沉沉的。

“我想知道，不做手术的话，我还能活多久。”

“也许是几个月，最乐观也不会超过半年。”

我闭上嘴巴，思考需要多少时间，半年应该够了。

“那就不要手术了吧。”我衡量了以后说，“半年时间够写完一部小说了。”

“不开刀的话，只靠一般治疗很难保证……”

“不想手术，也不想化疗放疗什么的。不想折腾。让我安静写东西就行了。”

“可是你要知道……那个肿瘤还在侵蚀你的大脑，你的头痛还会加剧。你会痛到做不了任何事，连字都写不了。”

“那就随它去吧，我习惯了。对了，你会给我开止痛药的吧？我还是很怕痛的。”

“止痛药不会有什么效果的。”

她收住了口。

“我怎么觉得……你早就已经知道自己得病了？你早就知道

了，是吗？"

可能确实早就知道了。一直头痛，不可能完全没有预感。

"以前以为是神经衰弱。"我说，"现在看来，这至少比神经衰弱要强。神经衰弱让人觉得很无能。"

她沉默了。

"还记得我和你说的么？我的头脑里有个声音，时常给我一些建议。"停了片刻，我说，"几年前，我开始写小说的时候，我第一次听见了那个声音，不管你相不相信，是那个声音帮助我产生的灵感，让我写出了小说。至于头痛，是两年前开始频繁发作的，我觉得这是代价。凡事都有代价。如果动手术切除了它，也许我能活下来，但我从此可能会再也写不出东西。那样我活着还有什么意思呢？"

"我觉得那和你写东西是两回事。那只是幻觉，是因为肿瘤压迫了神经……"

我摇了摇头。

"是么？那我告诉你：是它告诉我，你是个医生。是它告诉我，你会喜欢我。所以我才会约你，但事实上和你约会……"

"你至少能让我知道自己还有多少时间吧。"

"几个月。"她说。

"我已经有两年没有写出什么东西来了。就是写不出来。那些灵感，那些故事，好像都睡着了。两年时间像是在浑浑噩噩中度过的。我觉得我是在等待着什么东西。一个机会，一个预兆，好让我去写自己一直想写的东西，而不是已经出版了的那些玩意儿，那些东西除了能带来钱，就没有其他意思了。以前，我以为我等待的是个漂亮姑娘来到身边，就像你这样的，或者是能带来灵感的事情。可是，现在我知道了，我只是在等死，我一直在等的就是这个。"

我把手上的图片折叠起来。

"现在，我想我可以开始写新的小说了。这是上天给我的启示。我还有几个月时间，应该写完最后一本书。对我来说，这才是最重要的。"

我说完后，两个人半天没有开口说话。她看了一会儿那些生病的孩子。

"我先给你开些止痛药。你有我的电话，如果你改变主意，别忘了打电话告诉我。"她说，"我会帮你开止痛药，可我觉得你并不知道什么才是最重要的。"

我一个人坐车回家，觉得异常疲倦。到家往床上一躺，几乎立刻睡着了。什么梦也没有做。睡得无知无觉。头痛倒没有在这时来打扰，可能那个肿瘤也随之睡着了吧。

我不知道自己睡了多长时间，完全没有感觉。可笑的是，不久我就要死了，现在居然还睡得像死了一样。当意识到这一点时，心里一下空荡荡的。于是我醒了。

外面天黑着，又到晚上了。相比白天，我更喜欢夜晚，尤其是深夜。夜晚安静而漫长，适合读书写字。尽管已经有两年没有写出东西来了，但我仍然更习惯夜晚。看了看时间，九点。好像有点饿，又好像完全不饿，胃似乎还蜷缩在一起。但至少脑袋已经清醒了。

那么，可以开始了。写我的最后一本书。

　　我打开音响，随便放点音乐，拿着写字板靠在沙发上。写字板上夹着一叠纯白色的稿纸。我习惯在正式动笔前先理清整个故事的情节脉络，有什么想法就先记在稿纸上，有时是一个单词，有时只是一个场景的大致描述，一个简单的提纲，以便在正式写的时候做个参考。

　　我手上拿着写字板在沙发上坐了很久，写字板上的稿纸白得耀眼，上面什么痕迹都没有。不管我怎么努力，头脑里就是一片空白。

　　为什么会这样？

　　明明很想写点什么，可是，我却什么都写不出来。

　　我放下写字板，晃了晃脑袋，站起来，沿着房间的对角线来回走动，走了一百多个来回。这也是习惯。在"囚笼"里一边走对角线，一边思考。过去写作的时候，我曾有半年时间没有走出过房门，每天就这样走对角线。走对角线有助于平静心情，理清头绪。

　　想到以后几个月我都要这样走动，我的头又开始隐隐作痛。我停下脚步。举目四望，房间里只有我一个人，除我之外，就只有书了。很多的书，乱七八糟地堆在一起，包括我写的三本。

　　我开始整理房间，把散落在地上的书拾起来摞在一起，放回书橱。可是当我抱起一摞书的时候，忽然悲从中来。身体里面空虚得不得了，似乎有个寒冷的黑洞在我腹中，五脏六腑都感觉不到，只能感觉到那一团寒冷。寒冷，绝望，伤感。我松开手，那一摞书都掉在了地上，跟死了差不多。

　　我抬脚蹚过那堆书的"尸骸"，走到笔记本电脑前，打开电脑。显示屏慢慢亮起，进入视窗画面。就像以前的每一天一样，选择打开一个空白的Word文档。

字符在空白的页面上慢慢地一闪一闪。

我只是呆呆地看着，不打一个字。

呆坐了很久，我关掉文档。打开MSN，隐身上线。想找个人说话，随便什么人，只要可以说话就行了。随便说些什么，只要可以说话。如果聊天聊得顺利，也许我可以很自然地告诉对方我就要死了的消息。

线上的人大多不熟悉。有合作过的编辑，采访过我的记者，也有一些看过我书的读者。有的只有一面之缘，有的连见都没见过，更多的仅仅是互相认识。其中多数人和我的对话没有超过三句。这就是我的人际交往。

我看着那一个个头像亮起，变灰。变灰，亮起。

什么是孤单？孤单就是MSN上没有一个人和你说话，你也找不到哪怕一个想要跟他说话的人。这句话以后我可以用在小说里，如果还有以后的话。

看着那些明明暗暗的头像，等到差不多所有的头像都变成了灰色。我下线离开，关掉MSN。

内脏一片冰冷，好像都冻住了一样。

拿出手机，上面显示有两条未读信息，一条是天气预报：明天气温适宜，但午后会下雨。我喜欢下雨的午后，有时也喜欢湿淋淋地走在雨中。有雨水淋在身上，那样就不会冷了吧。

我去到卫生间，打开热水器，旋开水龙头，往浴缸里放热水。

回去继续阅读短信，另一条是医生姑娘发来的，问我感觉怎么样，她帮我预约时间复诊。可我不想再去医院。

删掉了收件箱里仅有的这两条消息，然后打开通讯录程序，一条条查看与我有过电话联系的人。大部分人已经超过一年没有联系。很多名字都是陌生的。我回想很久都没有能想起对方是谁。头痛以后，很多过去的记忆都消失了。既然已经不再联系，那应该就是不再有联系的必要了。认识的人成百上千，可以联系的人却一个没有。于是我将联系人一个个删除，看一个删一个，按排列顺序一个一个清空。

删到儿科医生的手机号码时，我停了下来。她应该不用删掉了吧，我们一天前还在一起。想起她在医院里穿着白色的医师服，和平时的她好像不是同一个人。我想了一会儿，拨通了她的电话。我想听听她的声音，想听见有人和自己说话。

铃声断断续续响了很久，是首彩铃，我从来没听过的流行歌曲。

耳朵里有什么东西在尖声鸣叫，我忍着刺耳的尖鸣，期盼着电话那头传来她的声音。但最后，一个人工合成的女声告诉我，电话未能接通，请稍后再拨。

我摇头一笑，挂断电话，将她的号码从手机上删掉。随后，手机里所有人的号码都消失了。

进入浴室，浴室里水汽氤氲。浴缸里的水差不多已经放满了。我捏着手机，松开手指，看着它溅起水花，滑入水中。手机安静地躺在浴缸盆底，像一条银色的鱼。

打开淋浴，随后跟着躺进了浴缸里，忘了身上还穿着长裤和衬衫，无所谓的事。水温正合适，仰面躺在舒适温暖的水里，淋浴的花洒挂在原处，像下雨一样将热水覆盖到脸上和身上，水声清晰，屏住呼吸，潜入水中，在水中睁开眼睛，仰面望着外面。花洒的水滴像雨丝一样倾下。身体全都被温暖的水包围了。

可是我的身体里还是觉得那么冷。那种寒意逐渐从身体里面扩散开来，连澡盆的水都变得冰冷。冰冷像针尖一样扎进我的脑袋。我张开嘴呼吸，水呛进了气管。

我像溺水的人一样身体痉挛，拼命坐起身，爬出了浴缸，伏在抽水马桶上呕吐。眼泪都呕了出来。

那个小女孩站在浴缸旁边，默默看着我狼狈的样子。

为什么你总是在我头痛时才会出现呢？

为什么每次头痛，我都会看见你呢？

没有回答。

我摇摇头，站起身来，摇摇晃晃地走出卫生间。在厨房里找出止痛药，一粒粒都吃了下去。我的生活全部仰仗我的写作，我的写作全部仰仗于我的头脑，以前再怎么头疼我都忍住不吃药，因为害怕会伤害头脑神经。现在就没关系了。

止痛药带来些许快感，头痛暂时消退。身体深处的寒意却没有减弱。心脏仿佛冻结住了，跳动缓慢。

那个穿着连衣裙的小女孩还在身边。

我没工夫理她，浑身湿漉漉地走到客厅书橱那里，伸手从书橱顶端取下剩余的半瓶芝华士。我不喝酒。以前认识的一个朋友曾告诉我，威士忌是治疗感冒的特效药。所以实际我买它也只是为了治感冒。

屋里闷得透不过气，我穿过落地窗走上阳台。夜风冷峭，衣服又都浸湿了，身体冻得发抖。广告上说，威士忌会温暖你的心，但愿是那样。

我打开瓶盖，一口气喝掉剩下的半瓶。

半瓶威士忌下去，胃里感到一阵暖意，酒精像放大镜一样放大了各种感官的感觉。我听见血管里血液的汩汩流动，夜风里流动的音符，可以闻到别家晾衣的熏衣草香味。而且，我更清楚地看见了那个小女孩。

她就站在我的面前，身体瘦小，几乎还不到我的腰部高。她看了看我手里的酒瓶，然后就这么一直看着我，似乎是在担心。白色裙子在风里瑟瑟发抖。

不要担心，我又没有喝醉。也许你不相信，虽然我不太喝酒，但酒量其实很好，一瓶威士忌都不在话下。哦，你是看我摇摇晃晃地，像是站不稳了是吧？这和酒没有关系。如果你不相信，我完全可以证明给你看。

我把空酒瓶放在我和她之间的地板上，然后跨上阳台的栏杆，站起来踩在狭窄的护栏上。

一点问题都没有。就算闭上眼睛都能走个来回。

我闭上眼睛，双臂向两侧张开掌握平衡，试图踩着直线慢慢往前走了一步、两步、三步，开始两步平衡起来有点困难，但继续向前就容易了许多。中间没再出现差错，我稳稳当当地走到另一端又稳稳当当地走了回来。我睁开眼睛，失望地发现没有意外，一切安然无恙。

你看，我做到了是不是？

女孩子在我侧面的护栏下方，我在护栏上坐下来，好和她说话。

我不是什么马戏团走钢丝的演员。我不在马戏团工作。你也知道的吧，你也看见我坐在电脑前面的吧。你不认识我。所以我还是介绍一下。我快三十岁了，是个写小说的，尽管已经很久没有写出像样的东西来了，但毕竟，嗯，是个作家。

不过，我就要死了。

我的脑子里生了个东西，那是什么东西你可能不太清楚，我自己也不是很明白。反正还有几个月我就会死了。本来在死前我还想写一本书出来，可是我不想再写了。既不知道应该写什么，也不知道应该写给谁看。

我看向小女孩，她好像真的在聆听我说话。我摸摸头发，都快被夜风吹干了。

不是我写不出来。不，不是写不出来。我不缺乏任何写作的技巧，技巧那东西，始终可以在漫长的写作过程里完善。我只是不想写了。是的，我不想写了。从两年前开始就不想再写任何东西。

写东西有什么意义呢？

对我来说，几个月后我可能已经死了。就算写出了一本书，又能怎样？可能是个很好的安慰。仅此而已。那本书会悄悄地放在书店某个角落，会有人买它，为了消磨无聊的时光，价值仅限于此。没有被人买走的书，最后都会回收化成纸浆，就如同我死后火化成灰。我的文字和我，最后都会消失得干干净净，什么都不会留下。

我的世界里只有我和我的小说。如果我不在了，我的小说还在。如果我的小说不在了，我的世界就彻底不在了。

所以，没有意义。

那就不写了吧。

对她说完，我沉默了很久，只是静静地坐在那里。内心有一种奇特的悲哀。这一刻，我终于看清楚了自己的生活。我活得就像小说里的一句废话。一句最孤单的废话。只有一个幽灵一样的小女孩陪伴着我。我几乎要感激自己脑袋里的那个肿瘤了。如果没有它，我大概还要忍受很久很久这样的生活。想到这里，心里终于轻松了起来。

那样，就不会再感到孤独。

不会有人看到，也不会有人知道。

一只瘦小的手伸了过来，想拉住我。

回过头，最后看了看那个小女孩。她的目光哀伤，满是怜悯。

你是特意来陪我的么？以后不用再陪我了。我走了，再见。

我站起身，面对黑夜，深深呼吸。

然后，闭上眼睛，飞入夜空。

这一刻好像很漫长，风呼啸着穿越我的身体，一切都是缓慢的，甚至可以听见一首缓慢的曲子。舒伯特的弦乐四重奏，《死与少女》。

身体轻松而沉重，某种真实的痛楚正离我越来越近。

这是我最后感受到的东西。然后，我就不知道了。

我想我死了。

第二章　女儿

"不用谢。"我说,"我把你看成我的女儿。"

她一下子眼睛睁得大大的,好像无法相信自己听见了什么。

那是一种缓慢而机械的节奏，快速均匀的变化，朦胧中感觉到，然后疼痛开始了，起初并没有察觉那是疼痛，只是觉得"身陷囹圄"，身体的每一部分都被牢牢拘束在混沌中。疼痛的感觉如同混沌里的光点，一点点的光亮逐渐显现在黑暗的脑海深处，无数的亮点弥散开来，连成一片，直到足以照清仅存的意识。

于是我醒了过来。

身体还是僵硬的，每处关节似乎都上了锁，心脏也像被谁狠狠攥过一样。浑身上下每个地方都不舒服，很含糊的感觉，仿佛身体在离自己很遥远的地方，只有那一丝丝隐约的痛感将身心连接在一起。

伴随着节奏明显的摇晃，我睁开了眼睛。我头枕双臂，趴在一张小桌板上伏案而睡。桌面是深褐色的，有股橡胶味。

我是在哪里？

抬起头看向四周。一排排的暗绿色的座位，一条狭长的过道，在每个座位上，都有小铜牌标示着号码。前方传来沉闷而短促的鸣笛声，钢铁叮当作响。地板下轰隆作响，身体随着轰隆声的节奏摇晃着。

这是节火车的车厢。

我在火车上。

我直起身，靠着椅背坐了一会儿。自己怎么会在火车上的，火车又是去哪里，完全想不起来。很老式的车厢，就是小时候坐过的最简陋的那种蒸汽火车，从年龄来看，可以当我的祖父。绿皮座位都没有铺任何布料，座位上方裸露的铁行李架上没有一件行李，其他座位上也看不到有任何乘客。在整节车厢里，只坐着我一个人。

很多年没有坐过火车了，并不是我不出远门，我只是不喜欢乘坐火车。

我站起来，走到过道尽头的卫生间洗了把脸，隔壁车厢的门关着，里面也没开灯，既没有乘客，也没有乘务员。我走回原来的座位，抬起两扇车窗，风一下刮了进来，还好不怎么冷。外面很黑，密不透风的黑。看了一会儿，觉得很可能是火车正在经过隧道，每隔几秒钟，一盏昏黄色的壁灯就会在窗外亮起来，在黑暗中拖拽出一条光带。

茫然地靠着窗口望向那条光带，不知看了多久。车体向前疾驰不休，忽然机头"呜"地长鸣了一声，光带熄灭了，车厢里的顶灯也暗了下去，接着列车就驶出了隧道。

窗外很快亮了起来，可以清楚地看见沿着铁道栽种的一棵棵菩提树，须条被气流带动飘舞起来。在菩提树的后面是成片的树林，翠色连成一片。天气不算明朗，但也说不上阴沉，平平常常的天气。

从窗户往车身的前方看，可以看见正在接近一个车站。车站看上去灰扑扑的，不怎么显眼。我本以为列车不会停下，但伴随着一声汽笛的鸣叫，火车前进的速度慢了下来，它缓缓地滑停了下来。最终停下时，车窗正对着这个不知名的车站的月台。

等了一会儿，没有广播，没有乘务员的通知，只有车身完全停滞下来，好像告诉我这个车站就是本次列车的终点站。我站起来，走到车门那里，踩着生锈的铁梯下了车。

下离火车，看了看四周，整个月台比乒乓球台大不了多少，中间位置有一张铁皮搭着的公告板，上面没有任何告示。在它旁边立着一张木椅，木椅上的油漆也掉得差不多了，颜色很素，看着还算干净。

有个很小的身影坐在木椅上。

是一个很小的孩子，女孩，大概只有六岁大，身子小得像没满月的猫。

我望见了她，发现她正在用期望的眼神看着我。

"爸爸？"

过了一会儿，她说。

我向身边看了看，事实上，整列火车只有我这么一个乘客，所以也只有我下了车，只有我这么一个下车的旅客。小站月台上空空荡荡的，除了我和眼前这个坐在木椅上的小女孩。

刚才她说什么？

小女孩又轻轻开口了。

"请问……你是我的爸爸吗？"

小心翼翼的嗓音，让人听了觉得可怜。我看了看她。她的表情仿佛在等待一个肯定。我还从来没在一个孩子脸上见过这样的表情。

"我……不是你爸爸。"我说，"我不认识你。"

失望从她的眼睛里溢了出来。她像是不敢相信一样垂下了目光，带着一种深受伤害的感觉，坐在椅子上半天不说话，她穿着一条很大的背带牛仔裤，一双有点脏的小小白球鞋在半空轻轻摇晃。

这时，车头的蒸汽机发出一声沉重的叹息。一股白色雾气弥散开来。在我还没意识到之前，它就开动起来，向来时的那个隧道驶去。

火车开走了。

站台上沉默了一阵儿。

我站在长椅边上，望着列车消失在隧道里。女孩和我一起看了一会儿。

"火车开走了。"过了片刻，她说。

"嗯。"

她抬头看了看我，轻手轻脚地往椅子边上挪了挪。

"坐吗？"

"谢谢。"

我坐下来，看着隧道方向，看不见下一班火车开来的迹象。

"今天火车不会来了。"她说。

看看四周，这种简陋的小车站，感觉就算一年没有火车经过也很正常，就算偶尔经过，大概也不会有哪列火车会特意停下。不知道这里怎么会成为终点站的，也许是偏僻的终点。我现在就在这个偏僻的小站上等下班火车的来到，旁边还有一个奇怪的在等爸爸的小姑娘。

"下一班火车什么时候会来？明天？"

小女孩低着头看自己晃来晃去的球鞋，鞋面有点脏了，沾了些泥巴。

"我不知道。这里不是经常来火车。我不知道明天有没有。"

"你怎么在这里？"

"我住在这里。"

我往四面看了看。

"这里？"

"在那边，要走一会儿才能到。"

她抬起细细的手臂往车站背面的方向比划。我顺着她指的方向看去，什么都看不到，视线里只有茂密的树林。

"附近有旅馆吗？"我问。

"旅馆是什么？"她疑惑地问，"绿罐头？"

"就是……可以暂时住的地方。"

"住的地方是吗？"

"有吗？"

小女孩扬起侧脸，认真地看了我一会儿。

"跟我来吧。"

说完，她从椅子上跳下来。

　　我随着她走出了这个僻静的火车站。就像刚才看见的那样，车站外是一大片一大片茂密的森林，我们走在林间一条小小的林荫道上，没走几步，回头就看不见了车站，树木就把小小的站台遮蔽住了。这里长得都是些很高的树，跟童话故事里的巨人似的，一棵连着一棵，树冠连着树冠，如同从天而降的窗帘遮住了黄昏的光线。

　　小女孩显然对这条路很熟，走路的步态还很稚嫩。刚开始她走慢的时候，我以为她是走累了。很快我就发觉她其实是在等我，也许是担心我会迷路。实际上确实是这样，如果没有她做向导，我可能一个晚上都走不出这片林子，连找回车站都办不到。

　　差不多走了一段时间，我没戴手表，不清楚具体是多久。傍晚的光线越来越暗淡了。

　　"快到了，"小女孩走在我身旁，说，"再转几个弯就到了。"

　　"你和妈妈住在一起？"

　　她在等她的爸爸，我想她应该是和妈妈一起生活，但女孩摇了摇头。

　　"我一个人住。"

　　"你一个人住？"

　　她走快了几步，在离我几米远的地方停了下来，正好摆脱了路边大树斜长的阴影，几缕明亮的光线从西面照过来。女孩小小的身体沐浴在金红色的光芒里。

　　"我在等我的爸爸，我爸爸很快就会来了。"

　　等我走到了她旁边，女孩指向前边不远的地方。我们站立的地方地势较高，可以看清四周的环境。周围都是森林，只有前边是一块被森林围拢着的幽静山谷，在那里，依稀有一个小镇的样子，甚至连小镇也说不上，因为只能看见几幢不大的房屋，都不是什么高楼大厦，和森林、山谷本身一样静谧。

"我的家就在前面。"

"你一个人住在这个地方？"我不由得问。

"还有照看森林的老先生。"

"照看森林的老先生？"

"一个很帅的老伯伯，长得像那个戴红帽子穿红棉袄背着被子的老爷爷。现在大概不在家，白天他要干活的。"

我猜她指的是圣诞老人。

"这里是哪里？"我问，"这个地方叫什么？"

"沉睡森林。"

沉睡森林。我默默念了一遍。

"你叫什么名字？"

"我的名字？我不就是爸爸的女儿吗？"女孩不无困惑地跳了两步，"那你呢？你叫什么？"

我的头突然疼了起来，但这一次疼痛来得很短暂，几乎没感觉到什么就过去了。

我们走到了那几幢房屋前边，这里以前应该确实是个小镇，就跟一个孩子搭了一半的玩具模型似的，大致的形状已经出来，可是孩子忽然失去了兴趣，于是搭了一半的模型就成了小镇现在的样子。

她停在一个二层楼的屋子前，但没有开门进屋，而是坐到了门廊上。

"这是你家？"

女孩双手托腮点了点头。

"老伯伯要过一会儿才能回来，我们等他吧。"

这座二层小楼基本上是木质结构，墙面是红色的砖头砌成的，阳伞一样形状的屋顶上铺的是青色的瓦片，可能时间久远的关系，砖瓦已经看不出起初的色泽，颜色发暗。房子的前面有个院子，过去是个精致的花园，现在只留下了花园的大致形状，在庭院里还有个石头的小圆桌，三个凳子翻倒了两个。台面上还搁着一盘跳棋，三个颜色的玻璃珠子在盘面上交织在一起，一局棋下了还不到一半。

花园里非常安静，附近本来就没有什么人，又是傍晚，连光线都带着静谧的味道。一只棕色的松鼠爬到翻倒的石凳上，蹲在那里休息了一阵子，忽然竖起耳朵，好像听见了什么动静，从石凳上跳到一旁的秋千上，顺着绳子爬回了槐树。

"老伯伯好像回来了。"女孩说着，向西面挥了挥手臂。

向日头下落的方向看，有个老人从那边的森林边上慢慢走过来，夕阳先把他的影子打近了我们。

老人年纪大概六十多岁，穿一条咖啡色灯芯绒长裤，上身是一件粗布衬衫，外面还加了件四袋马甲，头戴格子贝雷帽，好像上世纪某个南斯拉夫电影里的猎人装束。讲二战的，瓦尔特保卫萨拉热窝之类的片子，小时候看过。

他左手提着一个铅皮桶，右肩扛着一把木把的铁锹，看上去身体很结实，腰背挺得很直。一直走到门廊前，他才把桶和铁锹放下来。

"伯伯你回来了。"女孩说。

"有客人？"

"火车上下来的。"

老人看见我站在一边，他带点疑问，稍微打量了我下。

"你好。"我说。

"请问你是……来这里收税的吗？"

"收税？"

"看你的样子，是来推销保险的吗？还是来应聘管理员的？虽然年龄显得大了点……"老人忽然像想起来了什么，转向女孩，"我说，他是不是你的……"

女孩摇了摇头。

我有点尴尬。

"我可能下错站了。"

女孩对老人点头肯定我的话。

"哦，原来是这样，不是来收税的我就放心了。"

老人笑眯眯地在衣服上擦了擦右手，然后和我握了下。他的手比我要有力气，手掌和指跟有很厚的茧。然后他转过面孔，用手遮在帽檐下，看了看太阳的位置。

"要不要吃饭？"

"吃饭？"

"干了一天的活，肚子快饿扁了。先吃饭。"他说，"你也一起来。这里附近可没有地方下馆子，连外卖也叫不到。有什么事，晚饭以后再谈。"

女孩从门廊上爬起来，担忧地看了看我，说，"你不讨厌吃卷心菜，是吧？"

老人差不多住在小镇的另一头。晚饭很简单，米饭配着酱菜，还有沙拉。房子后面有一片菜地，当季种的是卷心菜。我们吃的沙拉就是用从菜地里刚收的卷心菜做的。

我们在房前的院子里就着天光吃了饭。晚饭后，老人烧开水泡茶，泡茶时还不忘问我要不要喝咖啡，说他这里有贮藏了几年没用过的咖啡豆。我选择了茶。茶叶有股清香，泡得很淡，在傍晚时分感觉很适宜。女孩喝苹果汁。

"这里和外面交通不便，所以尽可能把东西都贮藏起来。尤其是冬天，下雪的时候会封山，连铁路都不通。要是库存吃没有了，那我们只有一个冬天都吃大白菜了，跟过去的老北京一样。"老人说，"上一年冬天我们就啃了一冬天的白菜帮子。"

女孩点了点头。

"弄得我和老伯伯像兔子一样。"她想了想，又说，"不过新鲜大白菜的菜心还是很好吃的，可是后来就变味了……而且罐头也没了。"

"今年不会这样惨了，我准备得很充足。就算遇到比去年还要大的雪灾也不怕。"老人说，"对了，你刚才说需要帮忙什么？"

"我想找个住的地方，一晚上就可以了。"我说。

"绿罐头。"女孩汲着果汁，双腿支在椅子上补充。

"附近没有旅馆，没有五星级酒店，也没有马厩可以将就，因为没有人会来这种地方旅行。"老人喝了口茶，问女孩，"你可以让他住在你家吗？住在那个空着的房间？"

女孩抬起脸，犹豫地看了看我。

"可是，他不是我爸爸。"

"哦，对，我忘了。"老人拍了拍脑门，"我的屋子又乱又小，堆满了货物。跟仓库一样，你不介意吧？虽然我觉得你不可能只待一晚上，不过先住一下的话……"

我没怎么听明白他们的意思。

"谢谢，我打地铺就可以了。有睡袋我也可以睡在院子里。"

"一听就是城市来的人，"老人呵呵一笑，"我们的待客之道可没有打地铺睡睡袋什么的。你就待在屋子里，睡在床上。"

这时院子里已经暗了下来。老人收拾了茶具和吃饭的碗筷，先送女孩回家，让我待在屋子里等一会儿。

"明天见。"小女孩说。

"明天见。"我说。

我在老人的住处等了一会儿。屋子里的几件家具都是原木的，感觉和宜家的那些家具很像，可是没有那么精致，一切都是以实用为主，毫不啰嗦。房间里有电灯，但没有家用电器，既没有电脑，也没有电视机和音响，看样子老人生活极其简单。屋子里用木板隔开几个房间，堆满了东西，大多是食物和日常用品。

房间里总好像少了些什么，只是我一时想不起来。

"很单调，是不是？"我听见老人说。

老人送女孩回来，外面天都已经黑了。

"您说什么？"

"你一定在想，这个老家伙活得很单调，因为房间里什么都没有嘛，"他说，"其实也是，跟出家人修行没差别。"

"刚才想了想，"我说，"觉得我大概过不了这样的生活。"

"因为你还年轻，等你到了我这个年龄就会发觉，活着本身就是一种享受了。"

他从门口进来，打开了天花板上日光灯的开关，房间里顿时亮了很多。

"你今年多大？"

"差不多三十。"

"有孩子吗？"

"我没结婚，还是单身。"

"这么看起来，你活的比我单调，我在你这个年龄的时候，孩子都有了。"他说，"不过现在都不在身边。再没有什么事情比眼看小孩子长大离开更让人觉得安慰和伤心的了，因为那时你会觉得你是真正老了。"

老先生的语气有些伤感。

"那个小姑娘，她是你的……"

"我算是她的监护人吧，我把她看成我的孙女。又可爱又懂事，"他惋惜地说，"她要真是我的孙女就好了。"

"她怎么一个人在家？"我问，"她的父母去哪里了？去外地了吗？"

老人摇了摇头。

"我遇见她的时候，她就已经是一个人了。我和你有同样的疑问，不明白为什么她的父母要把这么可爱的孩子扔在这里不闻不问。我一看见她，就觉得我必须留在这里照顾她，因为她不像我和你。"

"不像我们什么？"

"她一个人生活，这就跟你和我一样。"老人说，"但她还是个孩子，没法像大人一样照顾自己，所以我会和她一起等，等到她的爸爸或者妈妈回来找她。在那之前，她就是我的孩子。"

"今天我从火车上下来的时候，她以为我是她的爸爸。"

"从年龄上来看的话，你的确像她的爸爸。那么，你是她的爸爸吗？"

"当然不是，我说过了，我没有结婚，还是单身。"

他点头表示知道。

"这个地方很少有人过来，你怎么会来这里的？旅行吗？"

"记不清楚，觉得自己到站了，可是没想到下错站了。"我说，"你知不知道下班火车明天什么时候到站？"

"具体我要去查查列车时刻表才知道。"他说，"这个地方比过去的北大荒还要偏僻，有时一连几个月都没车来。总之今天晚上你就住这里吧，先休息，明天再看吧。"

老人打开五斗橱，拿了一床薄被，和几件衣服一起塞进一个很大的旅行包里。

"你就睡这张床好了，我去其他地方。"

"实在不好意思。"我说。

"难得招待个客人，我也蛮开心的。"他笑着说，"就是年纪大了，不习惯和别人挤一个屋子。"

"你是去小女孩那边吗？"

"不，不是那里。我自有去处。"

他背起旅行包，走到门口，刚打开屋门，忽然像想起来什么。

"晚上不要出去。"他关照说。

"不要出去？"

"晚上不要离开屋子。这里是森林，和城市里不一样。"

"为什么？"

"为了安全，晚上最好待在屋子里。"老人说，"不管听见了什么动静，都不要开门出去，只管休息，一直到早上。记住了吗？"

我说知道了。

关照完以后，老人走到屋子外面，关上了房门。

我本来觉得自己不会很早睡觉，因为以前几乎都是半夜才开始一天的生活，但一个人待在木屋里没多久，就觉得眼皮沉重起来，我躺倒在木板床上，床的大小刚好够我睡的，床板很结实，再怎么翻身也不会发出声响。我想第二天我最好早点乘火车离开，想起那个在车站等爸爸的小女孩，不知道怎么心里有点难受，等难受劲过去后，我很快就睡着了。

夜里宁静得像没有声音一样，直到后半夜的时候，似乎谁打开了音乐盒一样，我听见了歌声，好像一个女人在轻声唱歌，虚无缥缈的，仿佛在从一个人的梦境里传出来的，在很远的地方，在一座高塔上。

我不知不觉睁开了眼睛。歌声忽然中断了。然后，我听见了怪异的脚步声，跟很慢的鼓点一样，以一种独特的节奏走来，在寂静的黑夜里是那么清晰。

嗒嗒，嗒嗒。

声音离屋子越来越近，越来越近，一直到了屋子前，它停在了门口，我以为它会打开房门进来。过了好大一会儿工夫，它再次响了起来，但却是越来越轻，它离开了门口，向远处走去，过了一会儿就听不见了。

我匍匐在木板床上，舒了口气，我想我是在做梦。后来我梦见了那个小女孩，她轻手轻脚进到老人的屋子里，站在我的面前。

"你记起来了吗？"她问，"你是我爸爸吗？"

睁开眼睛从睡梦里醒来时，我发觉有人在屋子里。那个小女孩坐在床边的椅子上。

外面晨光明媚。

"你怎么在这里？"我问。

小女孩好像也吓了一跳。

"我来找老伯伯。我吵醒你了吗？"

"没有吵到我，我已经睡醒了。那个老伯伯呢？"

"不知道，一大早就没看见他。"她说，"到吃早饭的时间了，你要吃早饭吗？"

"不吃了，我现在就去火车站等火车。"我说，"你帮我谢谢他吧。"

"你要走了吗？"她犹豫地问。

"嗯，我有点事要赶回去。"我说。

我穿好衬衫，走到门口，回头看看小女孩。她低头坐在椅子上。

"也谢谢你。祝你很快见到你的爸爸。"

她没有出来送我，我离开了那里，一个人沿着昨天的路走回了车站。

站台上空无一人，铁轨毫无动静。我在那张长椅上坐下，等待不知道什么时候才会开来的下班列车。

时间在等待时显得很难挨，尤其是无法知道具体时间。我从早上一直等到了中午，又从中午等到了下午。这样的等待让我疲惫不堪，又很沮丧。我觉得自己被所有人抛弃了，连一列那么破的火车都等不到。我把脸埋在两个手掌里，不知道接下来该怎么办。

过了很长时间，感觉到有人坐到了我旁边。我以为是小女孩，抬起头往旁边看，原来是老先生。

"她告诉我你在火车站的，"老人说，"小姑娘自己不敢过来，因为她觉得你不喜欢见到她。"

"没有，"我说，"我只是有点不习惯和小孩子打交道。"

"我应该早点来找你，"他说，"有个不好的消息要跟你说。"

"什么不好的消息？"

"关于火车的。"老人说，"我看了列车时刻表，最近一段时间，不会有火车经过这里了。"

"最近一段时间？"我问，"那么要多久以后？"

"可能要几周时间，也可能是几个月，这个说不准。很快就是冬天了，如果再遇到大雪封住了交通，那么只有等冬天以后，才会有火车来这里。"

我疑惑地看了看天空，现在明明还跟夏天一样。他看出了我的怀疑。

"这里的四季变更和普通地方不一样，你住久了就知道了。"

"我身上没带钱，我的家不在这里，我在这里连个住的地方都没有。"我说，"我没法留下来。"

"住的地方可以想办法，不会让你白住的。"他笑着说，"不过我不准备再把屋子腾给你住，毕竟我也只剩这把老骨头，需要好好保养。你总归还要有个住的地方。你刚才说，你只是有点不习惯和小孩子打交道，是不是？"

"是啊。"

"昨天我们见面的那幢花园小房，是那个女孩的家。"

"我知道。"我说。

"那是她的家。可是现在只有她一个人住在那里。除了她住的房间外，还有一间卧室空关着，打扫得干干净净，正好可以住人。"

"我可以住在那里？"

"问题是，那个房间是她留给爸爸的房间。她不肯让除了她爸爸以外的任何一个人住进去，连我也不让，所以只有一个办法。"

"什么办法？"我问。

"你当她的爸爸吧，这样你就可以住在她家了。"他说。

我猝不及防，没想到老先生会这么建议。

"可是我不是她的爸爸。"

"我没有让你假装她的爸爸，我只是让你在这段时间里暂时当她的爸爸，嗯，这么说吧，是暂时代理，像一个爸爸那样去照顾她，让她习惯怎么去和真正的爸爸相处，习惯在有爸爸的家里生活。"

我不知道该怎么说了。老人叹了口气。

"其实我倒是很想扮演这个角色的，可是我跟她第一次见面时她说，我太老啦，她的爸爸比我年轻多了，这句话实在让我很伤心。我做不成一个像天使那么可爱的小女孩的爸爸了，那真是让人心碎，而这个机会，现在就摆在你面前，你居然还这么犹豫。你看这个站台。"

我抬头看了看这个又小又破的站台。

"就在这里，有个小女孩遇到了你，这个小女孩从来没有见过自己的爸爸，她一年一年，一个月一个月地在这里等着，等着有一天她的爸爸从远方开来的火车上下来。她等了很长时间，而这么长时间，她终于等到一个她感觉像是她爸爸的人。她等到了你。她鼓足了一个孩子所能拥有的所有勇气，才能面对你。"老先生说，"可是，你对她说了什么？"

"我……"我发觉自己做了一件很糟糕的事，一下子感到了难受，"我不是……"

"不管你是不是她爸爸，这只是很短的一段时间，你只需要当这么一段时间的爸爸，就当是扮演个父亲的角色好了。等下班火车来了，你走你的就是了。"

"我没有孩子，没有当过父亲，"我苦笑着说，"我甚至没有成家，你觉得我够格扮演这个角色吗？"

"谁都不是天生当父亲的料，这只是一种天性，不需要学。"他说，"这么说，你答应了？"

我闷声不响考虑了一阵子。

"我只能答应试试看，到下班火车来为止。然后我就走。"

"可以，一言为定。"老先生微微一笑，拍拍腿站了起来，"我们走吧。"

"去哪里？"

"还能去哪里？当然是回家，"他说，"你的女儿正在等你回去呢。"

走出树林，我看见女孩在小镇的路口，藏在一棵银杏树的后面，好像吃不准应不应该出来，老人走过去跟她说了几句话，大致内容我都没听见，也没看见她点头或者摇头，她只是看了看我，目光里带着点质疑。

"昨天晚上住得惯吗？"老人问我。

"住得惯，谢谢。"

"那就好，我还担心你在城市里过惯了，不习惯这里。不管你习不习惯，接下来的一段时间，你看来都要留下来和我们一起了。"

我迟疑了一下。

"昨天晚上……"

"怎么了？"

我想问昨天半夜时那些奇怪的动静，可是我吃不准那是不是自己听错了。

"没什么，"我说，"我睡得很好。"

到小镇上，小女孩先带我去她的家，她的家在路口这里就能看见，那幢红砖砌成的二层小房，在下午晴好的天气下显得很漂亮，配着周围的郁郁的森林，跟明信片里的风景一样。非常安静的明信片，长年夹在桌面的玻璃板下，你几乎都会忘记它的存在。

女孩打开房门让我进去。我走进了明信片的房子里面，出乎意料的是，屋子里面要比外面暗很多，可能是窗户上挂上了窗帘的关系，白色窗帘一直垂到了地板上。地板上的红漆都磨掉了，就跟上二楼的楼梯一样。所幸楼梯还算稳固，尽管有点吱呀作响，让人想起很多万圣节的故事。屋子里四处都很老旧，却也很干净，似乎每天都有人打扫。

底楼是空的，可以住的房间在二楼，从楼梯上到二楼，有两个房间。女孩打开一个房间的门，房间比一般的卧室要大一点，有张大床，床上罩着一层蓝色的床罩。床的侧面靠近窗台的地方摆了张书桌。书桌上没有电脑，连张纸都没有。这间房间整洁得像是旅馆的标准间，如果不是因为有个书橱的话，我可能真会这么觉得。世界上大概所有的旅馆房间里都没有书橱，这是我住了很多旅馆得出的经验。

女孩走到床头，吃力地踮起脚，趴在床沿。我不知道她要干什么，她很费力才把床罩掀起来。

"这个房间给你住。"

"这是你爸爸的房间？"我问。

"嗯。老伯伯说，你需要一个住的地方，一个家。"

"你知道，我不是你的……"

她没有说话，抱起那堆床罩走向门口，走都走不稳，就好像抱着一个比她还要大的绒布玩具那样。我有点怕她摔倒，就拎起那堆床罩，把她从下面救了出来。

"你不是我爸爸。"她仰起面孔看着我，轻声说，"我知道。"

我抱着那堆床罩，一时语塞。

"你要住很久吗？会一直住下来吗？"她问。

"不会住很久，等下一次火车来了我就走。"

我走到窗口拉开窗帘打开窗子，让阳光和新鲜的空气透进房间。从房子的二楼窗户看出去，山谷外都是郁郁葱葱的植被，树木长成的森林像湖泊一样深远。越往远方，那些树好像就越是高大，在目力所及的最远端，隐约有一个巨大的形状掩藏在深绿的暗影中，可能是棵大树，但具体看不清楚。

老先生和我身高体型差不多，晚饭后他给我收拾了些可以换穿的衣服，毛巾牙刷之类的东西，包括一套居家穿的条纹睡衣。我回到住处试穿了一下，差不多正合适。我把衣服放入衣柜，稍微打扫了下房间，屋子其实很干净，用不着大动干戈，只是由于长久没人住，缺了些人气。

天光退去的缓慢，可是不知不觉间就完全是晚上了。女孩含着牙刷从门口经过，往屋里张望，小手揉着眼睛。

"你要睡觉了吗？"我问。

"早睡早起的……虫子小鸟，"她含着牙刷说，"你不睡吗？"

"我还要晚一点。"我说，"你住在哪个房间？"

"就在隔壁。如果你有事要找我就敲敲墙壁，我能听见。"

她弯起右手食指叩了两记墙板，声音果然穿透了木板，听得很清楚。她放下手臂。

"你晚上睡觉会打呼噜吗？"

"……不是经常打，有的时候累了会有。"我说，"为什么问这个？"

"如果听见了，我可能会睡不着。不过没关系的，我会用被子蒙住耳朵，就跟打雷时一样。"她想了想，说，"还有件很重要的事，晚上不要从家里出去……"

"我知道，晚上我不出门。"

刷完牙，她回去了自己的房间。听见隔壁房门关上的声音，我忽然感觉有点落寞，现在房间里又只剩下我一个人了。我掩上屋门，也想不出有什么其他的事可做，我不习惯朝九晚五的生活，也没有过过这种日落而眠的日子。环视房间，没有任何可以让人提起精神的东西，似乎所有的物件都在说同一句台词：到了睡觉的时候了。

我走到书橱那里。书橱是茶色的，几乎占据了一个墙面的位置，最简单的书架样式，从上到下一层一层地分隔开来，可以放上一千本书，一千个不切实际的故事和一千个失眠的夜晚。不过让我感到失望的是，书橱里空空荡荡，所有书架上没有一本书。显而易见，国王读完了一千个故事，在第一千零一个晚上砍断了给他说故事的少女的脖子，这样，他也就讲完了那最后一个故事。

外面已经黑透，再出去散步也太晚了。我躺到床上，想象自己以后该怎么在这里生活，没有电视没有网络都不是问题，可是至少应该有几本书。那些适合在漫漫夜晚独自阅读的书。那些书里的故事也只有在这样的夜晚才会栩栩如生地从文字里走出来。我只好回忆以前读过的小说的情节，就像回忆以前的生活那样模糊不清。不久我拉灭台灯，在模糊的回忆里慢慢入睡。

直到那个怪异的脚步声踏入我的梦境，一下子将我从梦里踢醒。

有人轻声求救，在很远的地方。

让人恐惧的东西从黑夜的深处走来。

嗒嗒，嗒嗒。

声音靠近了女孩家的院子，进入了花园，一直来到门廊那里。我感觉它就停在二楼的窗口下面，只要推开窗户就能看见它。它等在那里，既不离开，也不进入屋子。我不知道该怎么做，一动不动躺在床上，等待它下一步的举动，心跳得很快，大脑没有办法思考。我不知道隔壁的女孩听到了没有，隔壁的房间里静悄悄的。

那个东西终于动了起来，离开了窗户下面。一连串急促的声响由近而远，和那个求救的声音一起渐渐消失了，消失在黑夜和深不可测的森林里。

我趴在床上，把脸埋在枕头里，忽然意识到这里缺少什么了，不管是在那个老人的住处，还是现在在这个女孩的家里，都没有像是书本的东西，连本来应该有书的书架上都空空荡荡的。事实上，自从我来到这个地方以来，我都没有看见哪怕是一本书。这是一个没有书、没有故事的地方。

　　我用了几天时间熟悉这里的生活。包括晚上很早上床休息，早上在日出后醒来。山谷的空气格外清新，早上我可以听见女孩起床的动静，每次听见隔壁房间传来一双小小的光脚踏在木地板上的声音时，我就知道一天又开始了。黎明的光线从窗帘缝隙里漏在床头，这个时间老人往往已经在院子里活动了。

　　在女孩家借住的第二天上午，我就问老先生他那里有没有书可以读，随便什么都可以。我本来以为他那里至少会有几本书。

　　"对不起，没有。"他遗憾地摇了摇头，"本来是有一些的。可是有一年冬天太冷了，木柴用光了，一开始是用报纸和杂志，后来连书也用上了。那点书一下子就烧个精光，有些还是精装本，外面再也买不到了。"

　　"一本都没有？"我还是觉得不可思议。

　　"一开始读不到东西是有点不习惯，后来慢慢就习惯了。阅读只是人生很多习惯里的一种，就跟抽烟一样。"

　　读书可能确实只是一种习惯，可是我已经离不开这种习惯。我不知道老先生是怎么克制阅读的瘾头的，而我只要有空坐下来，手上如果没有书本，就觉得时间很难熬，浑身都不对劲，尤其是现在拥有大把空闲的时候，感觉自己是在无所事事，虚度人生。

　　早上起来，我在小镇那几幢房子周边走了一遍，站在山谷地势最高的地方遥望，早上林间雾气很大，景色看不分明。一条小溪从西面的森林蜿蜒流经小镇边上，水清清亮亮，鹅卵石沾满苔藓。我停在森林的外沿，没有继续往前。

　　沿着溪流走了一段，我返回女孩的家。进到屋里，发现房间里变得很干净。开始时我不知道是谁做的，直到看见女孩蹲在房间的地板上。她手上拿着一块咖啡色的毛巾。

　　"你在干什么？"我问。

　　"擦、擦地板。"她慌张地说。

　　我这才注意到脚下的地板已经被擦干净了。

　　"你做的？"

　　她点点头。

　　"你不用做这个。"

　　我把她扶起来，从地上捡起抹布，放水盆里搓洗拧干。做完剩下的事，我发现她还站在一边。

　　"有事吗？"

　　"没有。"女孩鼓起腮帮子，摇摇头。

　　"这个家里都是你打扫的？"我问，"你会做家务？"

　　"嗯。因为不做家务的女孩最后都会被赶出家门。"

　　"谁说的？"

　　"灰颜色的姑娘说的，卖火柴的小女孩说的，还有白雪公主也说过。"

　　"她们不是因为……那些都是书里的故事。"我说，"你读过这些故事？"

　　"没有。"她摇头，"有人告诉我的。你怎么知道她们的？"

　　"以前从书上看来的。"我对女孩说，"你知道故事和现实生活不一样，所以你不用做家务，也不会被赶出家门。这本来就是你的家，谁都没法赶你走。"

"老伯伯也这么说的。"女孩说。

"平时不做家务的时候，你做什么？"我问。

"去火车站……等爸爸。"她说。

说到这里，屋子里沉默了一阵儿。

"你爸爸长什么样子？你有他的照片吗？"

"没有。"

"那你怎么知道谁是你爸爸？"

"他是我爸爸，所以我一定会认出他的。"女孩说，"只要我能见到他……"

可是你认错我了。我忍住没说。

"你什么时候想去森林里走走，可以叫我带路，"女孩说，"这样你就不会迷路了。"

打扫完屋子，我把院子里也整理了一遍，把歪倒的凳子重新扶到石桌前，收起桌子上的三人跳棋。在去除花园里的杂草时，我注意到地面上的一些痕迹，是什么东西留下的足印，碗口大小的U字形。我在门廊处和二楼窗口下方的地上也发现了同样的痕迹。我不是在做梦。夜里确实有东西来过这里。

老先生的生活比我充实得多，他从清早起就在院子里忙碌，照料那块的菜地，间或清扫镇子上的道路，上午一般出门去树林里工作，有时中午会回来喝个午茶。我跟着他去过林子，想知道他具体干些什么。他背着工具袋从东往西绕着树林，工具袋里有卷尺和测量工具，用来测量树高和直径，然后用数字记录在工作簿上，工作簿里写满了我看不懂的数据。他的工作大致和护林员差不多，检查树木的生长以及分布状况，研究森林自然环境的变迁等等。不过每天他都会消失几个小时，不知道去了哪里。

在树林的空地上，老人栽种了一些小树苗，我连续帮了两天的忙。头一天握着锄把的手掌就磨出了水泡，第二天栽树时水泡破了，血水渗出了伤口。午茶时，他找出绷带和药膏，女孩在一边帮我涂药膏，好像我受了很重的伤一样。我实在感到很汗颜，居然连这点活都撑不住。

"你不是干体力活的料，"老人说，"你是做什么工作的？白领？坐办公室的？"

"都不是。我……"我说，"我写东西。"

"写东西？"

"我写小说，写故事来养活自己。"我说，"我是个职业写小说的。"

这时我感觉老人和孩子都在看着我，注视了一阵儿，又互相看了看，目光里有异样的含义，说不清那是意外还是期待。

"你写故事，是不是？"老先生说，"你真的把故事写进书里，这是真的？你是个作家？"

"我写过几本书，可我已经有一段时间没写了。"

"为什么不写了？没有灵感？"

"我不知道。觉得没东西写，觉得写什么都不对。和没有灵感写不出东西不一样，只是不想动笔。"

我说话的时候，小女孩目不转睛地盯着我的脸，我想她一定不明白我说什么。

"人都有遇到瓶颈的时候，就连结婚都有七年之痒。"老先生说，"虽然我不知道写小说是怎么回事，但我觉得你大概还没有想到真正想写的东西，就跟没有遇到真爱，所以不结婚是一个道理。这段时间总会过去的吧。"

"你以前做什么工作？"我转移了下话题，问老先生。

"我做过很多工作，因为我活的时间够长。"他喝口茶说，"不过总的来说我只做过两份工作，丈夫和父亲。我最喜欢这两份工作了。"

老人放下杯子，眨了眨眼睛，我和小女孩都笑了。确实是两份好工作。

"我觉得你并没有下错站，你来这里是有原因的，我想以后我们会知道。"他说，"也许你来到这里，就是写下一本书的。这里很安静，空气清新，时间缓慢，人就不会浮躁。你有很多时间构思你的小说，慢慢来好了。"

这天晚上临睡觉前，女孩敲了两下我的房门，我开门让她进来。她怀里抱着一本什么东西。

"你的手好点了吗？"

"已经没事了。"我说，"你有事找我吗？"

"这个。"

她搂着怀里的那本东西。

"这是什么？"

"你需要书是吗？我这还有一本。"她说，"我刚想起来。"

"给我的？"

女孩点点头，把那本书放到我手上。开本比一般的书大一点，封面是黑色的，样子很旧，夹缝里还粘着灰，书名没有印在封面和书脊上。我习惯性地翻开首页，却发现从第一页起，纸页上都是空白的，没有一行字，整本书都是这样。

"这不是书。"我说，"它里面没有故事，只是个本子。"

"你会写、写故事，不是吗？"女孩结巴了一下，"你写、写下来，写在上面，它就是一本书了。"

我第一个念头是想告诉她，一本书没有那么简单。从构思到写作，从选题到出版，中间有数不清的环节。可是，难道故事不应该被写下来吗？最简单的书，最纯粹的书，不正是有了故事的书本吗？把故事写在一个空白的本子上，当有人去阅读它，它就成了一本书。所以她说的是对的，那的确是一本书。只不过现在还没有写下故事。

"谢谢。"我说。

女孩弯了弯嘴唇。她笑起来的样子很好看，像甜美的小苹果。一笑起来，她说话也不结巴了，和我道了晚安后，她跑回了自己的房间。

等她离开，我把那本书放在书桌上。我有很多时间来构思我的小说。可是我不想再写故事了，一个字都不想写。

那本书躺在桌子上，台灯熄灭以后，它仿佛也随之睡了过去。

开始的头几天，我还走大半个小时去火车站那里，查看有没有列车到来的迹象，可是没多久我就不再去了，在空无一人的站台上等车并不是很好的享受，尤其是没有任何迹象表明会有火车开来。老先生说也许要几个月以后才有下列车来，我甚至觉得这只是个安慰。坐在站台的椅子上徒劳地等待，我总会想起第一次在这里见到女孩的情景，不知道她在这个站台上等待了多久，等待了多少列火车。我不明白她为什么不肯放弃。

我也没想到冬天会这么快到来。

气温下降的那天，上午还像夏天一样，午后下了一场雨，雨水带来了落叶，很多树的叶片变黄了，然后萧瑟的风就刮了起来，成千上万片落叶掉到了地上。老人家的院子里和女孩家的花园里都堆满了厚厚一层橘黄色的落叶。我们三人各拿了一把扫帚在房前屋后清扫，到了傍晚，温度下降得惊人，简直和冰箱开了冷冻室似的，甚至可以感觉到有冰晶落到脸上。

"你现在看见了吧，这里的天气变化有多快。这就跟那个电影的场景一样，一个镜头走过了四个季节。"老人说，"那个开书店的英国人和那个嘴巴很大的姑娘演的，叫什么名字？"

"《诺丁山》。休·格兰特和朱莉娅·罗伯茨演的。"

"对对，年纪一大，名字什么的都记不住。"他抬头望了望北边黑乌乌的云层，"不知道晚上会不会下雪，下雪就糟糕了。"

"为什么？"

"会非常冷，比西伯利亚还要冷上一百倍。"

　　女孩明显打了个哆嗦。她已经换上了一件套头的毛衣，裙子也换成了很厚的牛仔裤。我觉得她很怕冬天，眼神仿佛像易碎的水晶那样不安。

　　"我去给你找件大衣。"老先生说，"晚上记得把门窗关紧，别让寒气窜进来。"

　　在老人那里吃过晚饭，女孩和我回到自己的房子。我发觉女孩有点病恹恹的，好像不太舒服，就让她先上床睡觉。等她回了房间，我从一楼起把屋子里门和窗户都关住插上，检查了一遍，才回到自己的房间，早早躺倒在床上，外面的风吹的越来越紧，裹着叶片打在窗户的木框上，外面一片乌黑，仿佛连月亮都被吹到了别的地方。我听着寒风的呼啸，眼睛不知不觉闭了起来。

　　我睡了一会儿，又忽然醒了过来，有一些不对劲的地方。

　　风的呼啸似乎是在一瞬间就消失了。我睁开眼睛，发现皎洁的月光透过窗户照在地板上。一切都太安静了，安静得完全不对劲，周围一切都跟冻住了似的。

　　然后我听见了呼吸。缓慢沉重的呼吸。

　　伴随着这个呼吸声，那个脚步声又来了。

　　我站起来走到窗口，撩起窗帘一角。

　　一个高大的黑影立在西面森林的边上，它沿着树木的暗影，往小镇走来，走得很慢很慢。当它脱离了森林，踏上小镇的道路时，月光照在了它的身上。

　　那是一匹纯黑色的马，暗如黑夜，像树一样高大，比狮子还要威严。

嗒嗒，嗒嗒。马蹄声。走得很慢，踩着怪异的节奏，仿佛在跳盛装舞步，向女孩的房子慢慢走了过来。马蹄每踏在地上一步，地面凝霜结冻，被踏到的草地瞬间枯死。黑马一路走来，身后留下一行死亡的痕迹。

有个人骑在马背上，犹如马背的一部分似的，头部罩了起来，看不清样子。他是谁？

"他是黑骑兵。"我听见女孩的声音说。

回头一看，女孩穿着睡衣站在我房间的门口，手搭在门把上。

"黑骑兵来了。"她声音颤抖地说。

骑马人骑着黑马走到了房子前面，停在院子门口。他昂首仰望我站立的二楼窗户，面孔在月光映照下闪闪发光。我过了会儿才意识到那不是他的脸，而是一副银色的面具。他没有发现我，目光透过面具上的眼孔，冷冷望向窗口，恍若在寻找什么。我看见他的骑兵服又破又旧，到处都起毛裂口。他的马靴沾满了泥水。那匹黑马雕像似的立在那里，从鼻孔处喷出一团团雾气般的鼻息。

黑骑兵的面具银光闪闪，我想看清楚一点，正要打开窗户，却被女孩拉住了。

"别让他看见你。别出去。"女孩的手在发抖，"只要你在家里，他就伤害不到你。他马上就会走了。"

黑骑兵昂首望了一会儿，低下头颅。他从背后抽出一把长长的直刃马刀，刀刃锋利得可以切开月光。他举起长刀，拉转马头转向森林。黑马在他的驱使下逐渐加速，几乎一瞬间就跃入了黑暗的森林深处。

我在一团黑暗里寻找黑骑兵的去向，完全没有意识到女孩有什么异常的地方。等我想起来问黑骑兵是怎么一回事，却发现她嘴唇苍白得吓人，满脸都是冷汗，站都站不稳。我赶紧把她抱到床上，给她盖上被子。

她的身体在被窝里还是抖个不停。我下楼去给她倒了杯水，回来伸手放在她的额头，她的皮肤像是烙铁一样烫人。

"别出去，"她紧闭着眼睛，"黑骑兵……"

在女孩生病的第二天，雪终于飘了下来。从盐粒般的小雪，一直下到了鹅毛般的大雪。我有好久没见过这么大的雪了。雪花一片片从空中舞落，堆积在窗台，被房间里的热气烤化，又在玻璃上覆盖成冰。

女孩发着高烧，一直昏睡着。院子里的雪积到了膝盖这么厚。老人深一脚浅一脚从他房子踏到这里，送来药和暖壶。房子里没有暖气，底楼倒是有个砌好的壁炉，不过二楼没有。我们在女孩房间的地板上垫上隔热的砖头，在脸盆里烧木炭来让房间里保持温暖。

附近没有医院，只有依靠老先生带来的药片。女孩吃了退烧药后，迷迷糊糊蜷在被窝里。老先生给她量了量体温。热度虽然从四十度退了下来，但还在三十八度以上。

"每年入冬的时候，她总是会生病。只不过今年更厉害些。天不怕地不怕，就怕小孩子生病。"

"每年冬天她都会生病？"我问。

"感冒发烧，每个冬天都这样。不管怎么预防都预防不了，简直像是被诅咒了一样，怪可怜的，又没有亲人在身边。"

他叹了口气，帮女孩擦了擦脸上的冷汗。

"还好现在你在这，不然我一个人怕忙不过来。多谢帮忙。"

我走了会儿神。

"你在想什么？"

"没什么，我只是想起来小时候的事，"我说，"我小时候经常生病。"

"现在好了？"

"嗯，现在不太生病了。"我说，"我来照顾她吧，我住在这里比较方便。而且我知道怎么照顾病人，久病成良医嘛。"

我每隔半小时给她额头换条毛巾，毛巾被她的热度捂得滚烫。从院子里铲起一脸盆的雪，把毛巾浸入脸盆，冷凉后换上新毛巾，顺便再帮她擦干净脸上的汗。

她的病情出现反复，到了晚上热度又上去了。我怕有事，就留在她的房间里。女孩的面孔烧得通红，样子很难受，牙关咬得紧紧的。即便是没有知觉地睡在床上，还是能听见她嗓子里发出的呻吟声。

夜里最难受的时候，她一只手伸到被子外面，无意识地在被子上抓来抓去，好像想抓住水面的一根稻草。女孩眼泪从紧闭的眼角沁出来，嘴巴微微张开，含糊不清地念着什么，我听见了几个字。

"爸爸……别走，爸爸……"

我想把她的手放回被子里，却被她抓紧了。我犹豫了下，握住了她。

"我在这里。别害怕。我在这里。"

她的鼻息慢慢变轻了，脸上的表情也安详下来。后来她慢慢地睡着了。

那天夜里，我坐在她的床边，她一直握着我的手，就跟一个女儿握着爸爸的手那样。

我本来觉得自己会有点不安，可是实际上，她的手在我手心里的时候，我的心情却出奇的安宁，就好像多年以前一直习惯这样似的。我可以感觉到她皮肤的温度，她身体里那颗小小的心脏的跳动。

她在生病，她需要一个照顾她的人，需要一个爸爸。我只是在帮忙，因为现在只有我在她身边。

那么我就当她的爸爸吧。我想，只是暂时的。

热度在第三天终于完全退掉了，由于身体虚弱，睡得很熟。我把她的手放回被子里。外面雪已经停下。夜里没有听见马蹄声，可能是被风雪覆盖掉了。

白天给她擦脸时，她醒过来，眼神还有点有气无力，可是眼睛已经恢复了明亮，躲在凌乱的头发后小心地看我。我把她脸上的头发捋在一边，感觉她往后缩了下。试着碰了碰她的额头，体温已经正常。

老先生带来了板蓝根冲剂，我用水冲开盛在小碗里，扶她坐起来。她端着板蓝根，皱着眉毛，不是很愿意喝下去。

"别把这个想成药。不如把它当成可乐，热乎乎的可乐。"我说，"它和可乐味道其实差不多。"

"一点都不一样。"

"我知道，但喝的时候感觉会好一点。"

最后她还是勉强喝掉了。喝下去以后，她脸上发出了一层热汗。这次帮她擦时，她没有避开。

下午，老先生煮了粥带过来，有他替我照顾女孩，我回房间睡了半天。醒来时他已经回去了。女孩一个人待在房间里，望着屋外树杈上的白雪，听见我进到房间，她把面孔转向我这边。

"老伯伯说这几个晚上，都是你在照顾着我。"她说，"谢谢你了。"

"不用谢。"我说，"我把你看成我的女儿。"

她眼睛一下子睁得大大的，好像无法相信自己听见了什么。

"你说什么？"

"我是说从年龄上来讲，你就像我的女儿一样大，当然其实我没有孩子，"我解释说，"父母都会这样对孩子的。"

她想了想，似乎明白我说的话了。

"发烧时，我说胡话了吗？"她说，"我觉得我做了一个很可怕的梦。"

"你没说什么。"我说，"除了跟小猫小狗一样乱咬乱抓外。"

"我真的乱咬乱抓了？"她脸红了。

"当然没有，我在开玩笑。你睡得跟婴儿一样，一点声音都没有。"我说，"你别起来，多休息一下。"

她乖乖躺下来，拉起被子遮住半张脸，圆圆的眼睛扑闪扑闪。

她的眼睛剔透得仿佛一泓秋水。

"要我关灯吗？"

我过去把壁灯关上。她小声吸了吸鼻子。

"我睡不着。"

"我这就回隔壁，不吵你。"

"不是的，我自己睡不着。"她问，"你等会要熬夜是吗？"

"熬夜？"

"老伯伯说，你是个作家，写书的人都晚上熬夜写书。你也是的吗？"

"哦，我不是经常……"我说，"有时候会熬夜。"

"为什么呢？"

"因为故事只有在夜里才会活起来。"我说，"就跟月亮只有晚上才出来一样。"

她眨了眨眼睛。

"你看过很多书吗？"

"看过。"

"那你知道很多故事了？"

"知道。"

"那你会讲故事吗？"她问，"可以讲个故事吗？"

"我不是很会讲故事。"我有点为难，因为从来没有给小孩讲故事的经历，"我讲故事很糟糕，让人听了想睡觉。"

"我很喜欢听故事，但很久没有人讲给我听过了。"她说，"如果我听睡着了，我不会怪你的。好吗？"

她甚至往床里面让了让，好让我能够坐在边上。很久没有讲故事了。我想。

我把椅子拉到床边坐下来，犹豫了好长时间才开始讲起来。那些属于星空的梦，那些从来没有褪去过光芒的句子，在梦幻般的情节里展开新的旅程，从很久很久以前就开始了，它们从来没有停止过，犹如天空的星星那样等待着。我们有时会忽略它们的存在，但偶尔抬头仰望夜空，依然惊讶于那些星光。我们一旦听过了它，就拥有了它，并从此伴随一生。

我磕磕绊绊地讲了一个这样的故事。小时候听别人讲过，现在我把它用自己的话讲了一遍。女孩有时皱着眉头，有时面露疑问，有时我觉得她在被子下面偷笑。我是个拙劣的说书人。故事讲完时，她眼睛里流露出困意。我站起来走到门边。

"晚安……"我听见她说。

我在门口站了一会儿，回去了自己的房间。书桌上那本黑色本子还静静地躺着，里面还是空白的，我打开它，抚摸那些空白的纸页，每一张空白的纸都让我感到绝望。我觉得自己再也写不出像样的东西，如果有天我失去写作的能力，我不知道自己还能做什么。

晚安。

我在心里说了一遍，然后捧着这本书躺在床上，闭上眼睛。

雪融化的那几天，我们一直待在屋子里，一方面是女孩的病还没好，另外外面也太冷了。每天晚上我都会给女孩讲故事。安徒生，格林，三百六十五夜，一千零一个晚上。许多故事都有共通的地方，在这本书里消失的故事，会在另外一本书里出现，很久没有遇见的人物，在意想不到的情节里相逢。

她身体恢复了点元气，不再只躺在自己房间的床上。因为底楼有壁炉，晚上我们就坐在客厅烧壁炉取暖。老先生也常和我们一起，三个人玩跳棋来消磨时间。

这几个晚上我没看见那个黑骑兵的踪影，自从女孩生病那天以后，他就没有再出现过。黑骑兵脸上的面具犹如镜子般闪闪发光，让人心神不宁。

最冷的天气还没过去，壁炉用的木柴却烧得差不多了。老先生那里也没有了库存。他带来了自己做的冰淇淋。是用上冻的冰雪加巧克力酱做的，别有风味。因为女孩还在生病，所以没给她尝。女孩噘了半天嘴，趁老人不注意从我这里偷吃了一大口，然后把食指竖在嘴前面，意思是让我别说出去。我假装没看见她嘴角的巧克力。

老先生在往壁炉里加木柴，他右脸上有块淤青，肿得挺厉害。

“你脸上怎么了？”我问。

“不小心滑倒了。”他笑了笑。

“没事吗？”

“没事。”他说，“可是没有壁炉，光吃冰淇淋就太冷了。要去木场里砍点木柴回来，但我这两天有其他事走不开。”

“我去吧。”我说，“木场在哪里？”

“我知道在哪里。我带你去。”女孩说。

“你身体行吗？”

“我已经好啦，就是鼻子还有点问题，”她用力吸了下堵塞的鼻子，说，"我想出去走走，呼吸新鲜空气。"

第二天天气回暖，暖得不像是冬去春来，更像是夏日将近。我和女孩出门去木场那里。木场在镇子的东面，我们基本上是沿着溪流行走，雪化得很干净，除了地面有些潮湿外，基本看不出几天前落过雪。尾羽很长的鸟会从灌木丛里一下子飞出来，翅膀扇得灌木丛刷刷作响。女孩套了件白色的卫衣，戴着长耳朵帽，走起来帽上的绒球晃来晃去。

我们走了半个多小时，来到了一块堆积着圆木的场地上。

"你想去看湖精灵吗？"她说。

"湖精灵？"

"跟我来吧。"女孩说，"你一定会喜欢的。"

我们绕过木场，继续往前。溪流打了几个弯，看上去变宽了些，汩汩的水流声也愈加明显，树木的叶片翠色欲滴，前方好像有雾气弥漫，藤蔓从树冠上垂到半空，仿佛垂下许多个秋千。女孩拉住我的手，低头从树枝和蔓条下穿过，凉爽而湿润的风拂面而来。

"看，湖精灵。"她指给我看。

一片湖泊犹如幽谷百合般出现在我们面前，湖水像是从云端倾倒下来的。头顶的树冠连成一片，把阳光过滤成星星点点的光线，光线戴着虔诚的气氛轻轻落下，一切都澄净得要飘浮起来，树上的露水滴落在湖面上，仿佛轻轻按动了钢琴的琴键，水滴声随涟漪一起扩散开来，久久没有散去。

女孩扶着我的肩，跳到岸边一棵倒伏的大树上，树身斜斜地悬在湖面上。她走钢丝一样往前走了几步，坐到了树干上。我怕她失

足掉到水里，也跟着坐了上去。女孩脱掉鞋袜，摆在一边，两只脚
垂在半空，随着树枝的弹性一上一下。

"为什么叫它湖精灵？"我问。

"因为它很漂亮呀，你不觉得吗？"

"是很漂亮。"

"没事的时候，我常常到这里来，有时一待就是一整天。一到
这里，本来有什么不开心的也会变得开心起来了。"

她托腮望了会湖面，向前压低身子，凝视湖水深处。湖面上映
出她的一张娃娃脸。

"老伯说，这个湖里真的有个精灵的，如果你看见她，可以向
她许愿，她能实现你的一个愿望。"

"你见到过她吗？"

"我……"

"当心!"

她身体向前倾得太厉害，一下子失去平衡，差点从树干上滑下
去，还好我拽住了她，不然就掉湖里了。这时我听见下方响起扑通
的水声，低头一看，砍木柴的斧头晃晃悠悠沉向湖底。因为刚才拽
住女孩那一下，斧头从背包里滑了出来。我们看着斧头沉了下去，
不见了。

"哎呀。差一点。"她吐了吐舌头，"这下没法砍柴了，还捞
得起来吗？"

"你没掉水里就好，斧头掉了不是最糟糕的情况。"

"什么是最糟糕的情况？"

"那个金斧头银斧头的故事，你听过吗？"

"啊，知道，会有精灵出来问哪把是你掉的斧头。是那个吗？"

"是的。如果故事是真的，万一你掉到水里，结果湖精灵出来了，手里提着金光灿灿的小女孩对我说，这是你掉的吗？我说不是。然后她又拎出一个银光闪闪的小姑娘问，是不是这个？我说不是。最后她拎起来湿淋淋的你，问我，这个还在生病的是你掉的吗？"

"……你说是就可以了啊。"

"然后她就会赠送我另外两个一模一样的金丫头和银丫头，我只好把你们三个都捡回家。还有比这个更糟糕的吗？"我说，"不过说不定挺好玩的，要不然你先跳下去试试看？"

"……"

女孩冲我皱了皱鼻子，做个鬼脸。

"我才不会跳下去。"

我弯腰往湖水深处看，湖面已经恢复了平静，仿佛什么都没有发生过。下面水大概很深。湖面上倒映着我和女孩的身影，我们坐在一起，就和父亲和女儿一样。

"你有没有想过……把我推下去试试。"

"为什么我要把你推到湖里？"她睁大眼睛问。

"你不是一直想见到你爸爸吗？你把我推下去，当湖精灵出现了，你就可以把我换成你爸爸了。"我说，"和斧头的选择一样，有好爸爸和坏爸爸……"

她低头没有说话。我扭头看了看她。过了一会儿，她才抬起脸对着我的眼睛。

"你……真的不是我爸爸吗？"

"……"

"会不会是你忘记了呢？"

"忘记？"

"你忘记了我。你曾经是我爸爸，可是我们分开的时间太长了，所以你就把我忘掉了，就像我也会把玩具忘记在某个地方一样。"

"我想不是。这种事怎么可能会忘记呢？而且我还没老到那个程度呢。"

她不说话了。我坐在那里，遥望湖水的另一边。湖泊犹如一滴眼泪的形状，森林的树影倒映在岸边，光线在湖面上缓缓飘移。女孩慢慢抬起手，我以为她真的要推我下去，但过了会儿才感觉她只是拉住了我的手臂。湖面上起了一层风，把她额头上的头发吹得扬了起来。我想起来一直想问的那个问题，那个戴着面具在深夜骑马来到小镇上的人。

"那天晚上，那个骑马的人是怎么回事？黑骑兵是谁？"我问女孩。

"黑骑兵是一个很可怕的人……他做了一些很可怕的事。"

"什么可怕的事？"我说，"你们晚上不出家门，是不是为了躲他？"

女孩摇了摇头，脸色一下子变得苍白了。

"我累了，"她颤颤地说，"我们回家好吗？"

我们从树上下来，没有再去木场而是直接回家。回去路上，我看她走路轻飘飘的，就蹲下来背起了她。她双手绕着我的脖子，不怎么说话，在我的后脖颈那里呼吸，鼻息轻巧而温暖。

"别把鼻涕滴在我脖子上哦。"我说。

"没有。"

"你真的应该把我推到湖里试试看。"

她把头靠在我的肩膀上。

"我不想推你下去，因为我害怕……"

"害怕什么？"

"我怕万一我再也看不见你了，那样我会很难过的。"她说，"因为我很喜欢和你在一起。"

"我也很喜欢你。"

"真的？为什么喜欢？"

"因为你会做家务。"

"只是因为做家务啊？"她很泄气地嘟起了嘴。

"你知道……我没有做过爸爸。"我说，"如果我以后有了孩子，我希望她像你。我现在就把你看成是我的女儿。"

她趴在我背后半天没吭声。

"有时候，我也把你看成我爸爸。"她迟疑了一下，"以后我叫你爸爸可以吗？我是说有的时候……"

"可以啊，只要你高兴。"

我感觉她的小脸在发烫，仿佛一个装了热水的暖壶。她抱紧了我的脖子。我们走在林间小路上，一路踩着树叶簌簌作响。

"爸爸都像冬天那么严厉。你是那样的吗？"

"谁告诉你的？"

"以前我听别人讲的。"她说，"今天你会给我说什么故事？"

"你想听什么？"

"我想听……我听了很多别人的故事，我想听你写的故事。你的书写的是什么？"

"我以前写的都是让人觉得害怕的书，不适合给小孩子看。"我说，"我很久没有写东西了。"

"只要一个就可以了。我听一个就很开心了。"她央求说，"可以吗？"

我想了一会儿。

"我没办法现在就说给你，因为我需要时间先把故事写下来。如果写得出来，我可以把写下来的故事念给你听。"我说，"不过我写得很慢，每天只能给你读一点，这样也可以吗？"

"可以啊，每天都有很多时间的。"她说，"在你写东西的时候，我尽量不打扰你，尽量不咳嗽，我走路会踮起脚尖，跟一只猫咪一样。如果你渴了，我会泡茶给你喝。"

"我喜欢咖啡。"我笑着说。

"那我给你泡咖啡。"她说，"我只有一个小小的要求，可以说吗？"

"你说好了，只要我能办到。"

女孩吸了口气。

"我希望故事里有一个男孩，有一个女孩。我听说过那个词，可是我不是很理解它的意思。我希望那是一个关于爱的故事。"

我扭头看了看她。她的眼睛里带着好奇和憧憬。亮晶晶的，仿佛宝石般闪亮。

"可以吗？"她问。

"我尽量。"我说，"我尽量写一个这样的故事。"

我的女儿搂着我的脖子，头靠着我的肩膀，良久没有说话。她整个身体软绵绵的，跟个趴趴熊一样伏在我背上，我还以为她睡着了，后来才发现她在流眼泪。

我不知道她怎么了。直到很久以后，失去她以后，我才明白她为什么哭。

"谢谢你，爸爸。"我听见她轻声说。

虽然我答应她写一个故事，但直到入夜后我才真正决定开始写点东西。把她安顿好，我回到自己的房间。白天那么暖和，本来以为已经用不到壁炉取暖，到了晚上，屋外又恢复到哈气成冰的程度。我待在空旷的房间，坐在书桌前，只有一盏台灯亮着。书桌上是那本黑色封面的本子。

我呆坐了很久。因为根本不知道自己该写什么。一本书的第一句话是最煎熬人的，不知道应该怎样让它出现。两个小时过去，我只想出了一句话。

"很久以前，有一个年轻的男孩和一个年轻的女孩……"

这句话以后，就再也写不出一个字了，绝望感又一次笼罩了过来。我合起本子，在房间里焦躁地来回走动。我有种感觉，觉得我在写的这个小说有让我害怕的地方，就跟我觉得那个黑骑兵身上有让人恐惧的地方一样，我本能地在逃避。我走到窗口，望向森林的方向，在高地上隐约有个骑马人的黑影。我想那是黑骑兵。他正在前往森林的尽头。那里仿佛有一座闪着红光的黑影耸立着。

这时有人敲了两下房门。开门一看，女儿穿着睡衣，脚上一双毛茸茸的小兔拖鞋站在门口。她手里捧着一杯热水。

"我给你倒了杯热水。我知道你喜欢喝咖啡，明天我就问老伯伯要咖啡豆。"

我接过水杯。

"你没睡吗？"

"我听见你走来走去了，"她说，"你在想怎么写那本书吗？"

"我刚开头，"我说，"还不知道怎么写下去。"

"我可以在旁边看你怎么写吗？"她做出祈求的姿势，那期望的眼神谁都忍不下心拒绝，"我保证不吵你。"

我叹了口气，让她进来，给她裹上被子靠在床上。然后一边喝水一边考虑接下去怎么写。女孩果然乖巧地待在一边，什么声音都没出。等一杯水喝完，再去看她，发现她眼皮已经合了起来，居然睡着了。

我把台灯换了个位置，从床头挪开，放到书桌另一个角落。然后把那本黑色的书拿到面前。这时，我看见这本书的黑色封面上出现了一行字。一开始有点模糊，后来就变得清晰了。那是故事的名字，也就是它的书名。一旦有了书名，它也就成为了一本真正的书。

我看了它一会儿，完全不明白它是怎么出来的。但它正是我要写的书。我打开书的封面，翻到它的第一页，在一片空白中写了起来。这是个安静的晚上，桌上的白炽灯持续发出亮光，我的面前有

一本书和一支笔，我的女儿已经入睡，我开始写一个故事。故事里
有一个男孩和一个女孩。这是一个关于爱的故事。

这本书的名字是——

《黑暗里的公主》

第三章　黑暗里的公主

孩子都有一种残酷的天性，喜欢疏远那些抗拒他们的人。

这样久而久之，他被他们剔除了出去，成了一个孤僻的男孩。

　　他坐了几天几夜的火车，自己都忘记了。车厢里挤满了各式各样的人，行李架上塞满了行李。他找不到座位，连行李都没有地方放，有一半的时间只能站在过道里，后来在两节车厢之间找到一个位置，靠近洗脸池，有一个打不开的窗口。他一直待在那里，仰头看着窗外从黑到白，又从白到黑。这是他第一次坐火车，离开了过去的家，从此以后再也没有回去过。

　　火车到站后，男孩最后一个下车。他又累又饿，更因为来到了一个陌生的地方神经紧绷，不知道该去哪里，只是拖着笨重的行李站在下车的地方。

　　直到站台上的人都走光了。他看见了一个上了年纪的女人，脸上满是皱纹。那个上了年纪的女人打量了他一会儿，慢慢走到他面前，叫了他的名字。

　　"你长得更像你的妈妈。"

　　她的普通话带南方的口音，他有点听不懂，这个上了年纪的女人让他觉得既陌生又熟悉。

　　"你的妈妈是我的女儿，我是你的外婆，"她摸了摸他的脑袋，"按你们北方人的说法是姥姥。是吧？"

　　他听懂了，点点头。

　　"我们回家吧，"他的外婆说，"回去以后你要先洗个澡，你身上已经有味道了。"

　　他们坐公共汽车回家，公共汽车和火车一样挤满了人。他不习惯，以后也没有习惯。他的行李放在地上，有人把它们踢开。那是两个可怜的包裹，包着一个九岁男孩所有的家当，单衣、棉袄和课本，甚至还有一条来的时候在火车上抗寒盖的毯子。包裹破了，外婆帮他拿了一个，跟他说棉袄穿不到了，这里没那么冷。

　　她带他回了家——在一片很旧的石库门房子里，很多人住的小楼里的其中一间。人们在公用的场所里做饭，洗澡，上厕所，说话和吵闹。男孩对这样的景象感到吃惊，不知所措。外婆的住处在二楼，就一个十平的单间，唯一的窗户对着隔壁的墙，只能打开一半，虽然收拾得清爽，但床只有一张。他以为自己只能睡地上了。

　　老人家从门边放下一个梯子，指了指梯子上面。

　　"上面给你住。当心别碰到头。"

　　男孩爬上梯子，到上面看了看，居然是一个很小的阁楼房间。除了摆放着一张小床，还有个可以写作业的木头桌，木头桌上方有个三角形的窗口，有光线透进来。天花板很低，上去后不注意就会撞到脑袋。他虽然上去就撞了一下，心里却觉得踏实下来。这里以后就是他的家了。

　　这里是他妈妈长大的地方，但他从小没有见过她。他也没有见过他的外婆，甚至不知道还有这么一个亲戚。直到有人把父亲的死讯告诉了她。外婆从遥远的南方给他发了电报，让男孩过来随她生活。他已经没有别的亲人，所以就过来了。

"我见过你的爸爸。"外婆跟男孩说，"其实我也算是见过你的。你妈妈走了以后，他把她的骨灰带来给我，你还是个小宝宝，我只抱了一天，你爸爸就带你回去了。他是北方人，不习惯这里。但你和你妈妈属于这里，所以你们现在都回来了。"

外婆已经退休了，退休前在纺织厂工作。住在这片石库门房子里的人大多数都在纺织厂的车间里工作。男工和女工。来到这个城市的头一个月，因为户口和转学手续，他一直待在家里，每天从阁楼的窗口看人们进出弄堂。他们行色匆匆，脸上的表情生硬，嘴里说着他听不懂的话。当人们都出去上班了，他才小心地从阁楼下来，走到家外面。他经常在弄堂里迷路，往往天黑以后，要靠外婆叫他的名字才能找回家。老人脸上有一种着急和疼爱的神情，这让男孩知道，她真的是他最亲的人。

从弄堂里走出去，走过一条很大的马路，是另外一片街区。尽管几乎只隔着一条街道，那里却像是另一个国度一样。那里的房子都是好看的二层小楼房，栅栏把小巧精致的花园围了起来，路边种着梧桐树。那边的花园洋房里总是显得很安静，跟没有人住似的。有时可以听见悠扬的音乐，一个甜美的女人唱的歌。夜幕降临后，他从阁楼的窗口隐约能望到那几幢房子亮起了灯。那些灯深夜都还开着。

到第二个月，他才找到了上学的地方。学校离家有六到七站路，走路过去要一个小时，他还是更喜欢走路过去。不过在学校里，他学起功课很吃力，这里和他原来学的课程不一样，他时常听不懂老师和同学说的话，更糟糕的是他自己说话还带着北方的口音。为了避免嘲笑，他学会了保持沉默，从来不主动和人说话。孩子都有一种残酷的天性，喜欢疏远那些抗拒他们的人。这样久而久之，他被他们剔除了出去，成了一个孤僻的男孩。

他变得只喜欢书本，喜欢书本里散发出的油墨香味。他读得懂上面的每一个字，那些熟悉的字会让他放松下来。然后，在放学以后，一个人慢慢走路回家。

这个城市的冬天很少下雪，却寒冷刺骨。男孩没想到一个南方城市的冬天会这么冷。在来到这儿的第一个冬天，也许是水土不服，他一直在生病，发烧和剧烈地咳嗽。外婆常常带他去纺织厂的医院看医生。医院里到处是消毒水的味道，实习护士用酒精棉花擦干净针头给他打针。在第一个冬天他就得了肺炎，医生诊断为病变，外婆在他面前哭，他不懂那其实是癌症的意思，男孩能记得的是外婆背着他从一个医院到另一个医院。外婆裹过小脚，两只脚的形状很怪。但她却背着他从家到医院，又从医院背回家。

那只是一个误诊。他挺过了第一个冬天，又这样过了第二个冬天。由于经常生病，他长得比一般的男孩要瘦弱，身上衣服带着股中药味，那是外婆在公用的厨房用砂锅给他煎药遗留下来的气味。相比中药，他更喜欢板蓝根冲剂，因为多少带点甜味。到第三个冬天过去，他已经十一岁，已经来到这个城市第三年了。

入春后，咳嗽的症状逐渐减轻，只是偶尔会犯一下。有天放学，他一个人走在回家路上，快到家的那条大马路上，咳嗽忽然发作，那是记忆里最厉害的一次，咳嗽引起干呕，他扶着路边的树，过了好一会儿才能直起腰来。

不远处站着一个女孩，在路边显得有点茫然的样子，似乎不清楚应该往哪个方向走。她犹豫了片刻，试探性地往马路对面走过去。一辆蓝色的解放牌卡车刚好转了个弯，直直地向她开过来。

他跑了两步，刚拽住她，车子就撞了上来。还好司机已经刹车，他们只是被带了一下。两人都倒在地上。女孩坐起来，脸白得像张纸，一双手在地上摸来摸去。

"是谁？"她说，"是爸爸吗？"

他看见她的眼睛睁得很大，眼神却空荡荡的。女孩的眼眸近似于灰色。她是个盲人。

他不知道怎么回答，刚想开口，却丢脸地呕吐起来。这次总算不是因为咳嗽，而是因为轻微的脑震荡。

两人都被带去了医院。检查下来女孩没什么事。他右脚崴了，而且头碰了一下，需要留下来观察。他已经是医院的常客，不担心住院，而是担心外婆会着急。女孩的妈妈来医院领女孩回去，走前特意来看了看他。母女俩长得很像，但妈妈的眼睛没有失明。离开前女孩转过面孔，好像想确认他在哪里。

他在医院里住了一晚。双目失明的女孩在第二天傍晚又来到了医院，这次陪她来的是一个戴金边眼镜的中年男人。中年男人先摸了摸他的额头，问他感觉怎么样，男孩呆头呆脑地点点头。

"我爸爸。"女孩在旁边轻声说。

"谢谢你救了犬女。"中年男人说，完全不管女孩在边上蹙眉做出无奈的表情，"犬女硬拉我过来的，女人都很麻烦。无论大小。"

女孩爸爸说起话来有一种嘲谑的语气，起初会让人觉得多少带有炫耀的成分，但几句以后就会发觉这种做派相当自然，带有奇特的亲和力。他不太爱说本地话，普通话比学校里的老师还要标准，带着明显的儿化韵。

他见男孩有时咳嗽，就出去了一下。过了会儿，一个男医生随同来到病房，用听诊器对着男孩的胸口听诊了很长时间。

"这位大夫是我的老同学，"他对男孩外婆说，"我请他来看看这孩子的咳嗽要不要紧。"

医生给开了些药，外婆谢了医生，随他们去药房取药。女孩坐在旁边的椅子上，一直没怎么说话。

"昨天谢谢你。"等人都走了，她才说，"那时我还以为是爸爸在边上拉我。"

"没什么。"

"害你进医院了。"

"我经、经常进医院，看病。"

他尽力纠正说话的口音，怕女孩听出来有什么异样。女孩好像没注意到这个。

"你叫什么名字？"她问。

他沉默了一会儿。

"赫连。"他说。

"哪两个字？"

女孩伸出左手，让男孩在她手心上写了两遍。

"赫连。"

她眨了下眼睛，表示知道了。

"该我了。"

她反过来在他手上写了两个字。男孩没有觉出她写的什么字，只感觉到她的指尖在他手掌里轻轻划动。

"舒玥。我的名字。"她说，"你可以叫我玥玥。"

中年男人回到了病房，拍了拍女儿的肩膀。

"医生说他没什么事，倒是咳嗽需要注意。我们先回去吧，让他多休息一下。"

"等你好了，请到我们家来玩，妈妈答应过的。"女孩拉起父亲的手，"是不是，爸爸？"

"是的，随时欢迎，"男人说，"我们住得很近，你什么时候都可以过来。"

男孩当天晚上就出院回家了，右脚的扭伤其实不妨碍上学，只不过在上学路上跷了两个星期的脚。在回家路上，他有几次看见了那个失明的女孩。有时她和两个同样眼睛不好的女伴在一起，手上都拿着盲杖，有时她随同父母走在街上。她的爸爸骑着一辆很大的永久自行车，她乖巧地坐在后座上，搂着爸爸的腰。

女孩的爸爸是个工程师，在仪器厂设计飞机的部件，很少有人叫他舒工，因为听起来像是叔公，周围人都叫他舒老师。在男孩出院后的一个月，女孩爸爸来看过他，给他带来治咳嗽的药。外婆对男孩说舒老师很有文化，心地又好。他们都很感激他。

直到初夏，男孩才第一次去了女孩的家。一个周六，他从外面回来，外婆跟他说舒老师家的小姑娘在等他。他到屋里一看，女孩正坐在家里的竹凳上。

"赫连，"女孩把脸转向他，"我爸爸请你到我家去玩。"

那天她穿着一条黑色背带短裤裙，白色的T恤，脚上的皮鞋精致而小巧。弄堂里的路很难走，有的地方长年积水，他牵着她的盲杖带她穿行。他很难想象女孩自己是怎么找到他家的。女孩比他个子高点，身材也挺拔。而他穿着快要破了的篮球鞋，虽然洗了把脸，换了件干净汗衫，看上去还是跟野兔子似的。他在女孩面前觉得尴尬和拘谨，虽然知道她看不见他的样子。走到那条马路上，他们停下来等绿灯。

"你家在哪里？"赫连期期艾艾地问。

"前面啊。"

她随手一指，是那些花园洋房里的一幢。

"你没去过那里吗？"女孩说，"那里本来是外国人住的地方，不过我家一直就在那里。是爷爷留下的房子。"

"你们那里的房子……很好看。"

"我看不见，"她摇了摇头，"所以不知道到底怎么样，应该是好看的吧，至少花园里开花的时候闻着挺香的。"

"你眼睛什么都看不见吗？"

"可以感觉到一点点的亮光。"她说，"不过只是一点点。"

"可以分辨白天和晚上吗？"

"可以感觉出来，可是白天和晚上对我来说没什么区别。我还是靠耳朵多一点。"

"耳朵？"

她向他侧过面孔，撩起头发，露出白生生的耳朵，右手食指拨了拨耳垂，仿佛拨一件玉质的乐器。

"我的耳朵，"她说，"耳朵就是我的眼睛。"

他们走到了女孩的家。女孩家在这片街区差不多靠近最里面的位置。比外围接近马路的房子更安静。院子围墙上长着爬山虎，叶片和手掌一样大，花园里种了些花，还有个葡萄架。大概家里有人，院门虚掩着，他们从院子进去。一进院子，她就不再用那根盲杖。走起路显得很自信。

女孩的爸爸在客厅里等着他们。他叫了声舒老师。

"你还是叫我叔叔吧，反正我姓舒嘛。你的咳嗽好了吗？"

他点点头。舒先生接着问女孩在去找赫连的时候有没有迷路，哭了没有。

"这点路怎么可能迷路啊？"女孩一脸无奈的表情，"我什么时候哭过了？"

"那是，你是公主殿下嘛，哭鼻子会掉价的。"

女孩妈妈从厨房出来，给赫连端来一瓶冰冻汽水。赫连用吸管喝着汽水，看见女孩爸爸在用一个杯子喝中药似的东西。舒先生注意到，于是把杯子推过来。

"这是咖啡，想不想尝一尝？"

他以前从来没喝过咖啡，喝了一口，感觉真的和药一样苦。

"味道很苦，应该放点糖的，不过我习惯不放糖了。"舒先生说，"习惯了这个味道后，你会觉得它有股香味。"

"他年龄太小啦，还不到喝咖啡的时候，"女孩在一边吸着汽水，"他还没我大呢。"

赫连十一岁，女孩十二岁。她比他大几个月。

"你比他大，那就是他的姐姐了，"她爸爸说，"以后你要多照顾他一下。"

女孩点了下头，对赫连说，"那以后你要叫我姐姐。"

这个一楼的客厅装饰很简单，家具的边角都用布包了起来，用来防止女孩走路不小心碰到。一台电视机搁在电视柜里，旁边还有台卧式钢琴，琴键上盖着层红丝绸，茶几上还有个黑色的电话机。电视机外婆家里也有，但接收不好，常常只能看见满屏幕的雪花点。钢琴和电话他第一次在别人家里看见。

"你喜欢看书吗？"

"看书？"

"我家有很多的书，都在楼上的书房里，"女孩说，"我们带你去看一看。"

喝完汽水，赫连跟他们上到二楼的书房，那是一个很大的房间，三面墙都做成了书橱。舒先生拉开书橱上的布帘，从中间一层抽出一本硬壳封面的书，打开看了看，又放了回去。然后一连拿出来几本，叠起来放在沙发上。他坐到沙发的扶手上，戴上眼镜翻看手上的书，半晌没有吭声。扶手上垫着一块白色的镂花纱巾。

女孩在沙发上摸来摸去，找到了那几本书。

"喂，爸爸，你是不是又在自己看书了？"

他哦了一声，抬起头，推推眼镜，有点不好意思地放下书本。

"这本小说是苏联的一个动物饲养员写的，读起来很有趣。我想你大概会喜欢。"

"我喜欢里面小狮子的故事。"女孩说，"这本书我读过了。"

赫连望了望她，不晓得她是怎么看书的。

"她很喜欢故事，"舒先生解释说，"所以我们经常会读给她听的。"

女孩在旁边耸了下肩膀，往后靠在沙发背上，手在另一本书的封面上摸索了一会儿。

"这本我也喜欢，是讲西伯利亚的骑兵的，"她问男孩，"你原来住的地方和西伯利亚一样冷吗？"

"你怎么知道我原来……？"

"你外婆跟我说了一些你的事，"舒先生说，"其实我们也不算是本地人。搬到这个地方，不过是几十年的工夫。"

"爸爸的爷爷是清朝的一个贝勒。"女孩说，"估计那是很久很久以前的事了吧。他们是满族的旗人，可是我妈妈不是，我也不知道我算不算是。"

"不管算不算，你都是个真正的公主。"舒先生微笑着说，"你是我女儿嘛。"

赫连抬头看向女孩。女孩正好面对着他，阳光照进了她的眼睛，她不易察觉地对他眨了眨眼，把手里的那本书递给了他。

"给你拿回去看。我家有很多的书，可惜我读不了。"她对他说，"你要是喜欢，可以经常过来。"

第四章

精灵

我想念年轻的时候，那时，所有的情感都那么的鲜明，带着稚嫩的伤痛，那时的时间仿佛是永恒的，没有衰老以及失败的担忧。那时，我还可以爱着一个人。

　　我写得很慢，每天只能写上不多的几页。写作时间也不固定，完全看空闲以及心情。有时早上起来，我会翻看昨天写下的章节，然后稍作修改，有时候和女孩出门散步回来后，想起来补充一个段落。我不知道这个故事接下来会怎么样。人们常常以为写小说的人随心所欲安排情节的发展，可是实际上故事有它自己的生命。它就跟写作者的孩子一样任性，虽然父母有时希望它按照自己预期的那样成长，可是它更喜欢自己来安排未来。所以当安娜·卡列尼娜死的时候，作为作者的托尔斯泰是那么震惊，以至于哭了起来。

　　每天晚上，我会把已经完成的部分读给女孩听。现在我已经习惯，也许就是从写这本书的那一刻起，把她看成了自己的女儿。所以虽然明知道这个小说也许并不是那么适合像她这个年龄的孩子，她很可能会不理解它，但我还是写了下去。

　　女儿希望我读给她听这个故事。她是唯一的读者和唯一的听众，也是最好的。读给她听的时候，我模仿书里人物的语气对话，形容他们的动作，描绘人物所处的环境，不但容易让她听明白，我自己也能渐渐进入书里的角色，这对接下来的写作很有帮助。当然为了让她尽量能够感兴趣，我尽量读得慢些，在对话时一人分饰几个角色，有时我是书里的那个男孩，有时我又成为了那个失明的女孩。我想这样一来，她基本上都能听明白。

她只问了我一个问题。

"看不见东西是一种什么感觉？"她问。

"我也不清楚。"我回答说，"也许和在很黑的夜晚走路差不多吧。"

"可是如果你不知道这种感觉，又怎么能明白故事里那个失明女孩的感受呢？"她说。

我一下子愣住了。我从来没有想过这个问题。

我关掉房间里的灯，把窗帘都放下来，屏蔽所有光线。然后拿了块黑布蒙住眼睛。眼前顿时陷入了一片黑暗，那跟很黑的夜晚不是一回事。我感觉自己是在一个密不透风的隧道里，不知道方向，气喘不过来。身体很难保持平衡，走几步路都摇摇晃晃的。我伸手在空中乱摸，担心撞到东西。失去信心，失去判断力，失去时间感，所有这些感觉加在一起，那是一种埋藏得很深的恐惧感，对未知世界的畏惧埋葬了自我存在的认知。尽管我知道是在熟悉的屋子里，那种恐惧还是占据了我的身体，往前走了几步，脚撞倒了椅子，人跟着摔倒了。

我坐在地上，半天没起来。我以前就应该知道的，可是我一直没有想到。我一直都没有想过是这样一种感觉。

女儿跑过来问我要不要紧。我摘掉眼睛上的黑布，告诉她没事。

"写故事很难吗？"她担心地问。

"需要技巧，感情，耐心，以及时间。总的来说你必须喜欢写故事，"我说，"你必须喜欢你写的故事。"

女儿抬起手，盖在我眼睛上。

"爸爸……你的样子看上去很年轻。但你的眼睛却像个老人，甚至比老伯伯还要老，"她说，"我觉得是你写的故事让你变老了，你看，你眼角都有皱纹了。"

"人都是会变老的。"我说，"这和写故事没有关系。"

"有一天，你也会变得像老伯伯那么老吗？头发白了，脸上都是皱纹？"

"可能还要厉害，弯腰驼背，牙齿都掉光了，走路都走不动。而且那个时候，我可能再也写不了书了，因为我会忘记所有的事情。"

"不要紧，到那个时候，我会来给你讲故事。"女儿说。

她对我怎么写小说可能有些好奇，所以晚上在我写的时候她总想陪在一边。不过没等我写几段，她就会睡着，然后打着呵欠醒过来。

"你写字的声音像下雨一样，"她揉着眼睛，不好意思地说，"我喜欢下雨天。下雨天我总是懒洋洋的，嗯，你想喝咖啡了吗？"

她去问老先生要了咖啡。还好不是放了几年的咖啡豆，只是一般的速溶咖啡。老先生存了好几箱不同牌子的速溶咖啡，足够喝几年的，下午喝茶时他一一拿出来供我挑选。

"够你写东西时喝的了。"他说。

"怎么有这么多？"我问。

"都是趁打折时进的货，要知道几十年前在我年轻的时候，速溶咖啡可是好东西。一般人还喝不到。"他感叹着喝了口咖啡，"我真想念那个时候的咖啡。"

"那个时候你有多大？"女儿问我。

"应该和你差不多大，那时连咖啡什么样都没见过。"我说，"喜欢咖啡是长大以后的事了，就跟巴尔扎克一样，只要写东西就必须喝两杯。"

"粑粑什么克是谁？"她问。

"……是另一个写书的人，也喜欢喝咖啡。"

"我还是喜欢巧克力多一点。"

她手捧着装热巧克力的茶杯，吹散上面的热气，喝了一口，然后拿盒子里的夹心饼干吃。刚咬半口，忽然叫了一声，张开嘴巴，脸上表情看起来很疼的样子。

"怎么了？"

"牙齿，"她捂着嘴，吸了口冷气，"要掉了。"

我们依次帮她检查，老先生甚至戴上了老花镜。问题出在下排靠近门齿的一颗牙上，已经松动了，看起来不像是龋齿，应该是正常的换牙。

"你要长新牙齿了。所以以前的牙齿就被顶掉了。"

"这是好事吗？"

"当然是好事，说明你正在长大。"老人愁眉苦脸地说，"要是我掉牙齿才真要哭呢，掉一颗少一颗，以后连鸡腿都没办法啃了。"

　　这颗晃晃悠悠的牙齿在第二天早上掉了下来，我刚睡醒，靠在枕头上修改昨天写下的段落。女儿敲门进来，把手里攥着的东西给我看。那是一颗脱落下来的牙齿，样子小巧而完整。

　　"终于掉下来了？出血了吗？"

　　"没有。"

　　"那好，笑一个，让我看看你嘴巴里是不是真的少颗牙。"

　　她笑起来，下边少了颗牙，有个小豁口，不知道为什么，看起来却非常可爱。

　　"掉了颗门牙，你现在说话是不是有点漏风？"

　　"哼唧，才没有。"

　　"就算少颗牙，样子还是挺可爱的嘛。你打算拿它怎么办？"

　　"丢掉吗？"

　　"别丢掉，要找个地方埋起来。"

　　"为什么？"

　　"这样以后长出来的牙齿才会整齐。"我说，"如果你希望说话漏风可以另外想办法……"

　　"我才不希望呢。"

　　她皱了皱鼻子，把牙齿放进口袋里。

　　上午，我们去林间散步。一只冻僵的小鸟躺在枯枝败叶间，因为夜晚的严寒而失去了它小小的生命。爪子缩成了个小球，浑身僵硬，跟一个橱窗里的标本似的。女儿捡起它，捧在手掌上。

　　"可能是夜里太冷了，它受不了。"我说。

"它还会活过来吗？"

"应该不会了，不过本来它们活的时间就很短，只有几个冬天。"我说，"它没有人类活的时间长。可是就算活的时间再长，还是会有那一天的。"

"有一天，你也会……吗？"女儿问。

"你是说？哦，是的，有一天我也会死。没有人会永远活着。"

"为什么？"

我不知道怎么跟她解释死亡是怎么一回事。

"想象一下，有人写了一本很大的书，我们都只是这本书里的人物，从故事里走了出来，当有一天，故事讲完的时候，我们就都回到了那本书里，我想这就是人不能永远活着的原因。"我说，"那其实不算是件难过的事，只是一种离开的方式，就跟坐火车离开差不多。"

女儿沉默了半天。

"可是我会很难过，如果你离开的话。"

我们把小鸟埋在一棵树下。我看见她把那颗掉下来的牙齿也埋了进去。

"回到书里去吧，"她轻轻说，"直到有人再讲起你的故事。"

我抬起头，望向天空，看见森林某个地方升起很大的烟雾，烟雾聚成一条灰线升上天空。女儿抬起头，也看见了。好像是木场那里着火了。

"你先回家去吧。"我说。

她担忧地看了看我。

"你呢？你去哪里？"

"我去那里看看发生了什么事，很快就回来。"

那条灰色的烟柱似乎变得越来越淡，在我到达木场时，火堆已经熄灭。我看见老先生的身影一闪而没，我本来想叫住他，但在赶到之前，他已经从小路上消失了。我还以为是我看错了。

木场中间的空地上有一大堆燃烧的灰烬，还在袅袅散发着烟气。灰烬下面还是暗红的，我找了根木棍，拨了拨里面。发现了几块小小的残片。我把最大的那块残片拨出来，吹灭上面的余火，看见残片上有几个印刷出来的文字。

"……喜剧……尔扎克著。"

更多的纸片从灰烬里翻了出来。虽然已经焚毁了，但有些上面也能辨认出一些字。

"……方夜谭。"

"战争与……"

"……欧内斯特·海明……"

这些都是书的封面，火堆里烧的都是书。从灰烬的厚度来看，可能烧了十几本。是刚才老先生烧的吗？他为什么要烧掉这些书？为什么他之前告诉我这个地方已经没有书了？

我正想这些问题时，忽然背后响起一声可怕的咆哮，肩膀上被什么东西重重击打了一下，然后整个人都被撞翻在地。

我挣扎着翻过身，一刹那间恐惧的阴影笼罩了全身。眼前是一头巨大的野兽。

一头比吉普车还要巨大的棕熊。

它咆哮着直立起来，愤怒地龇出巨大的犬齿，嘴唇都翻了起来，一只巨大的前掌眼看就要朝我拍下来。

我只来得及用胳膊挡住脸，虽然明知道根本没什么用。这时我听见有个声音叫了起来。

"……小熊！小熊！停下！停下！"

我听出来那是女儿的声音。过了半天，那只熊掌好像都没有拍到我身上。我撒开了胳膊。

那头熊脸上的表情还是那么凶恶，但前爪已经收了起来。它慢慢地弯下身子，四肢着地，站在我身边，龇着牙床，拳头大的黑鼻子嗅着我衣服上的气味。

女孩气喘吁吁地奔过来，挡在我和棕熊之间。

"他是……我爸爸，你不要伤害他。"

我看见棕熊眼睛里捕猎的目光正在逐渐褪去，它流露出一丝怀疑的表情，毛发平复下来，嘴巴一点点合拢起来。女儿伸出手拍了拍它。意想不到的是，棕熊跟家养的宠物犬一样，用舌头舔了舔她的手心，撒娇似的用脑袋蹭她的肩。

"你伤到了吗？还站得起来吗？"

她扶着我站起来。我的肩膀火辣辣地痛，胳膊还能动，但愿骨头没有断掉。

"看你做了什么？"她转头对熊说，"你怎么可以无缘无故袭击别人？"

棕熊显得很不安，巨大的身形都变得臃肿起来，它重重喘了口气，一屁股坐了下来。接着，更不可思议的事就发生了。

"我不知道他是你爸爸。"棕熊说。

我目瞪口呆地看着眼前的这头棕熊。虽然它的发音不那么准确，但说的确实是人类的语言。

"我好久没有看见你了。"女儿说，"这段时间你去哪里了？"

熊温顺地从女儿手里叼走一块夹心饼干，在嘴里嚼了两下，仰着脖子咕噜一声咽进肚子里。那块饼干对它而言真的是不足挂齿。

"还有吗？"

女儿摊开手，意思是没了。熊惋惜地叹了口气。

"我刚从很远的地方旅行回来，闻到了陌生的气味，不知道他是谁，要是你没来的话，我就……"

"你想怎么样？"

"一巴掌拍飞。"

棕熊得意地哼了哼鼻子。

"做错事不要那么得意，小熊。"女儿说。

我实在没法把眼前这个巨大的身体和它的名字联系在一起。

"它是你养的宠物吗？"我问女儿。

女孩还没回答，棕熊已经做出回应，貌似对宠物这个词很敏感。它低头望着我，耳朵竖了起来。

"我不是什么宠物。"它说，"我是守护熊。"

"守护熊？"我愣了一下。

"你以前听过这个名字吗？"女儿问。

"不，可能是我弄错了，"我说，"可能是从别的书里听过类似的名字。"

"小熊是我们的朋友。"女儿说。

熊舔了舔她的脸，然后爬起来抖抖身上的毛。

"我要回森林里去了。"

"什么时候你再过来？我们请你吃晚饭。"女儿说。

它点点头，面孔转向了我。

"对不起打了你。"

"没关系。"我说。

它在木堆上面的圆木上磨了磨爪子，留下五条爪印。我觉得它仿佛要上来舔我了，不由得往后缩了缩。但它只是打了个呵欠。身体蹭了蹭我和女孩，把我们蹭得东倒西歪。和我们告别后，它恢复成了威严的野兽的样子，掉头蹚过溪流。棕色的巨大身影返回了北面的密林里。

棕熊走后，我和女儿也离开了木场。

"你真的不要紧吗？"回去路上，女儿问我。

"应该没事。"我说，"……你们是怎么认识的呢？你们和这头熊？"

"几年前的冬天，我和老伯伯在森林里捡到它，那时它还很小，和毛绒玩具一样大，"女儿比划了一下，"它和我一样是个孤儿，一个人在那里哭，哭起来奶声奶气的，可怜极了。"

"我还以为它是马戏团跑出来的。你们把它带回家了？"

"是啊。一开始它很胆小，对我们很凶，几天以后就好多了。没多久就和我们很亲了，还偷偷喝光了仓库里所有的牛奶。不过老伯伯没怪它，还专门在院子里给它盖了个小房子。冬天它就跟一床大毛毯一样，你抱着它就不会觉得冷了，睡觉还会打很响的呼噜，比你的呼噜还要响。平时还很黏人，我们去哪里它就去哪里，还一个劲地和你调皮捣蛋。"

"……可是，它怎么会说话？"

"一个字一个字教的。它学起来很快。我们教它说话，它很聪明，就和小孩子一样，一下子就学会了。"女儿说，"可是它长得太快了，好像一个吹了气的气球，每天都长大一圈，屋子里都住不下了。老伯伯说这样下去不是办法，不可能永远把它留在我们身边的。所以，等它足够大了，我们要放它回森林。"

"你们放它回去了？"

"它不肯离开我们，头天把它放在森林里，第二天就自己跑回来了。折腾了很多次。有时我们会训它，它耷拉着脑袋，屡教不改。其实我不想小熊离开，可是老伯伯说，就算我不想它走，它有一天也会自己离开的。它和我们的生活不一样。"女儿说，"有一天，它终于意识到不能回到过去了，自己已经长大了，它回到小镇上，但那次不是回来，而是来和我们告别。小熊依依不舍地闻了闻我们，转身慢慢地走向森林。以后它就一直留在森林里，不再回到过去生活的地方了。"

"……你很不舍得它回去吗？"

"那段时间很难过，因为我觉得永远失去了小熊。"

"我觉得你没有失去它。"我说。

"是的，后来我知道了，它仍然会一直是我的朋友。虽然我们不能够经常见面。老伯伯说，守护熊有它自己很重要的事情。"

女儿忽然闭上了嘴巴。

"你看见老伯伯了吗？我一直找不到他，不知道他去哪里了。"

一直到下午我们都没找到老人。傍晚时，女儿忧心忡忡地望着西面的森林。夕阳很快就会躲到森林西边的尽头，犹如那里是白昼归去的方向。银白色的月亮也渐渐显现出来，太阳和月亮仿佛天平的两端，一端升起，一端落下。

到了晚上，我坐到书桌前，打开书本，构思了一会儿情节，正要继续往下写的时候，发觉钢笔连一个字都写不出来，笔尖上的墨水竟然冻结成冰。

远处隐约传来了一点动静。我关掉台灯，站到窗帘后面。

黑骑兵出现了。

他的轮廓从森林的边缘显现出来，我看见他骑着马从院子前经过，行往西面，走到一处高地，他停留了一下，站在高地的顶端和月亮的下面，我感觉他在打量我所处的方位。忽然，黑马直立起来，他猛地拉转马头，向森林里疾驰而去，几乎一刹那间就不见了踪影。

黑骑兵走后，我走到女儿房间门口，确定她已经入睡，然后我下楼，打开屋门，在院子前面找到马蹄的痕迹。

一条枯萎的痕迹通往森林里面。

我沿着这条痕迹向森林里走去。

我沿着黑骑兵留下的痕迹走进森林。辨别他经过的地方并不困难，凡是马匹踩过的地方，地面冰霜结冻，草木凋零，只需要打开手电，一路跟着这条线索就能发现前面的方向。

晚上森林里既冷清又荒凉，一路踩踏地面枯枝碎叶，除了偶尔有夜鸟在头顶鸣叫几声，根本无法听见别的声响。走了一段，电筒的电池耗尽，接下来只好摸黑前行，月光虽然明亮，但在树林里还是有些勉强。有时会被突出地面的树根绊倒，有时又会身陷灌木丛里。这样走了好一会儿，已经辨认不出方向，那条枯萎的痕迹也变淡了，地面枯萎的草木正逐渐恢复。

又往前走了一阵，四周夜色变得更加深沉。我撞到一棵松树，身上落满了松针，松针有股辛辣的清香味，这多少让我的头脑清醒了起来，周围似乎有些异样，好像越走下去，我的个子就变得越来越矮，渐渐地我连树干上最低的树枝都够不到了。

树上的一片树叶飘了下来。整个身体都被盖在了梧桐叶下面。我掀起叶片，抬起头，高大的树冠已经把天空完全遮住了。四周都是参天大树，但仔细看脚下，这些树的根好像都是围绕着一个方向生长的，许多巨大的树根从那个方向蜿蜒而来。

我沿着丘陵一样的树根往前走，走到森林的中心，这里被树林围成了一个圆形的空地，如同被海水包围的海岛。在空地中心是一棵古老而高大的树，树冠上垂下了无数的须根，在夜风里像是垂下的须发那样飘荡着，树顶都快接触到了月亮，那里好像有灯光。

　　我走到树底。树身缠绕着无数的藤蔓。我的手刚碰到树身，一条藤蔓就伸了过来，把一小片叶片平摊在我脚下，似乎是提醒我站上去。我犹豫了一下，站到了叶面上，双手抓紧了藤蔓的枝条，然后藤蔓就生长了起来，如同豌豆的故事里那颗豌豆长出的豆蔓，带着我升了起来。

　　我像乘坐电梯一样越升越高，藤蔓的叶片最终停在了靠近树顶旁边的树枝上。我攀住枝条走下叶片，踏到道路一样宽阔的树枝上。树枝通向树顶的一个露台，那里的树身是镂空的，犹如灯塔的顶部，从房间里透出柔和的光线。月光照向树顶，可以看见露台上有个人影。

　　那是名年轻的少女。她穿着浅绿色的拖地长裙，皮肤像玉石一样在月光下晶莹闪烁。我看见她的腰链和手链也在闪闪发亮，但看得更仔细一点，却发觉那不是普通的链条，而是银色的锁链，她的手脚都被锁住了。她被锁在这个树塔上。

　　我正想往露台那里走，忽然感觉有人拉住了我。

　　是老先生。

　　"先不要过去。"老人低声说，"再等一下。"

　　我刚想问他等什么，但他已经做出嘘声的手势。我回过头，看见了黑骑兵的身影。

　　在月光下，他独自走上了露台，向那名少女走去，右手握着那把长刀，刀刃寒冷锋利。

　　走到少女身边时他停了下来，举起了手中长刀。少女抬起头看着他。他脸上的面具映出了少女的面孔。

他一刀砍了下去，砍断了少女的脖子。

我的心跳得快要冲出了胸腔，不由得闭上了眼睛，好像有什么东西正在内心撕咬，血压挤得双眼疼痛难忍。黑骑兵站在露台上，低头看着脚下的尸体。月光静静地洒在他和尸体上，就这么过了很久。

黑骑兵骑马离开了树塔后，我和老先生才从树枝走到了露台上。我看见脚下的血液渗进地板，渗到树身里。老先生捧着少女的头颅，用手帕擦掉断口处的血。

这时少女睁开了眼睛，从地上看着我。

"……求求……你……"她流着眼泪，艰难地说，"……杀死……我吧……"

"坚持一下，马上就会好的……"老先生用手帕盖住她脖颈上的断口，轻轻安慰，"就和以前的每个夜晚一样……"

断口在逐渐愈合，她被砍断的脖颈又和身体连接在了一起，伤口像一条线一样绕着脖子。地板上血的颜色不是血红色，而是青色的。

在黎明的第一抹曙光到来前，少女脖颈上的伤口已经复原。可是仍然被锁链囚禁在树塔上。

"刚才到底发生了什么？"我问，"她是谁？黑骑兵又是谁？这一切到底是怎么一回事？"

"我们先走吧，"老人说，"太阳出来以后，我们就找不到回去的路了。回去我跟你解释这一切。"

藤蔓带我们回到地面。我们默默地在早晨的微光中往回走。我回头看了看，发现树塔已经消失在了晨光里。

　　我们回到老先生的屋子，他先煮了一壶热茶。当我端起热气腾腾的茶杯时，才发觉身体还在打着寒颤，到底是因为低温还是害怕，我自己也说不清楚。现在我只想老人快点解释我看见的一切。

　　"黑骑兵是谁？"我问。

　　"黑骑兵到底是谁，我们都不知道。因为从我看见他的时候，他就戴着那个面具。至于面具下的他是年轻人还是老年人，是男人还是女人，就不清楚了。"老人说，"我只知道，他几乎是和我同时来到这个地方的，也许是从战场上退役的士兵。和我们不同的是，只有当白天退去，夜晚到来以后，他才会出现。他明显不是普通人。"

　　"你们晚上躲在家里，是因为害怕他吗？"

　　"我们待在家里，并不完全是因为害怕。"老人说，"我们和黑骑兵形成了一种默契，就跟签订了契约一样。我们承认他在黑夜的统治权。白天，我们可以安全出入森林，到了晚上，一切就属于了他。只要我们不离开屋子，待在自己的家里，他就不会伤害我们，我们和他互不相干。只不过，脆弱的和平需要另外的代价。"

　　我想起木场的火堆和火堆里书籍的灰烬。老人在销毁那些藏书。

　　"和书有关吗？"

　　他点了一下头。

　　"我曾经对你说，有一年冬天把书当成柴火都烧掉了，那是我撒的谎。因为那个时候就算我告诉你事实，你也不会相信。由于黑骑兵的原因，我们必须放弃阅读，不能拥有任何一本书。这就是你在我们这里看不到一本藏书的原因。为了在这个地方活下去，我们只能放弃拥有书和享受故事的权利。"

"可是为什么？"我问，"为什么黑骑兵不许你们阅读和收藏书籍？"

老人放下手中的茶杯，默默望着杯子里沉下去的茶梗。

"那是一个传说，真实性怎么样我不知道。"他低声说，"传说有一本书。这本书上写了一个故事，故事里蕴含了让黑骑兵惧怕的秘密，无论谁拥有了这本书，当他读完了书上的故事，他就有了击败黑骑兵的力量。黑骑兵畏惧这本书的力量，所以才会销毁一切书籍。他一直在寻找这本书，以及这本书上的故事。一旦他找到了这本书，就再也没有任何人能阻止他了。"

"那本书是什么样的？"

老人摇了摇头。

"没有人见过。"

我沉默了一会儿。

"那棵树上的女人是谁呢？"我问，"她是不是就是女孩的妈妈呀？"

"不，我想她不是的。刚才的场面你也已经见过了，她并不是人类。"

"她不是人类？那她是什么？"

"还记得森林里的那片湖泊吗？"老人说，"不管你相不相信，她就是湖精灵。在黑骑兵来到这里以前，是她在祝福着这片森林。"

"湖精灵？"

"她被黑骑兵囚禁了。就和刚才我们见到的一样,每天夜里,黑骑兵都会砍断她的脖子,然而和人类不同的是,她不会死掉,因为在黎明前她的伤口会自动复原。然后是下一个夜晚和下一个黎明,这一切永远不会结束。"

"没有救她的办法吗?"

"我们没有办法救她,因为我们没有办法对抗黑骑兵。"

"可是,为什么只有在晚上,这一切才会发生?我是说黑骑兵,被囚禁的湖精灵,那棵大树……白天为什么就看不到他们?"

"因为他们只有在晚上才会现身。就如同月亮在晚上才会出现,故事在夜晚才会变成现实。"

"你怎么知道?"我问,"这些事你是怎么知道的?"

"我知道,是因为我必须知道。"老人说,"不然就没有人告诉你这些了,难道不是这样吗?我不知道你能不能接受我说的这些,可是我已经把我知道的事实真相都告诉你了。"

我放下茶杯,抱住双臂,沉默思考,不知道怎么去相信老人的话。我不理解他说的话,觉得他说的就跟拙劣的故事一样不能让人相信。可是我偏偏又觉得他所说的都是真的。考虑的时间一长,脑袋好像都变重了,什么事都想不清楚,我想我最好去睡一会儿,如果一切都不是真的,那我睡醒以后自然就会忘记。

"我想你最好去睡一觉。"老人说,"如果你不愿意相信这一切,那就在睡眠中把它们都忘记。"

我睡到下午才起来。醒来时,女儿就坐在床边的椅子上。我觉得她的眼神很像是婴儿的目光，对万事万物充满了好奇。我心情好了起来，感觉自己只是做了个离奇的梦。

"昨天你没有写新的吗？"她问。

"昨天没有写。"我说，"今天你去过火车站没有？"

"去过了，好像还是没有火车来。"她问，"你想家了吗？"

"也说不上是想家，我是一个人住的。"

"和我以前一样吗？"她问，"你的家人去哪里了？"

"他们都不在了。"

我沉默了一会儿。

"你有没有想过……离开这里，坐火车去外面的世界？"

"你知道，我一直在等我的……"女儿犹豫地望了望我，"我想过的，可是我有点害怕去外面。我害怕一个人坐火车。"

"如果我来带你呢？"

"你带我？"

"等火车来了，我可以带你离开这里。"我说，"外面的世界很大，有很多有趣的地方……就和书上的故事一样。我们可以坐火车去旅行。"

"你真的愿意带我坐火车吗？"

我点点头。女儿的眼睛亮晶晶的。

"可是我听说坐火车是一件很累的事。……如果我累了，可以把头靠在你的肩膀上睡觉吗？"

"这个当然，"我说，"也许你去了外面，就能找到你真正的家人。"

她忽然不说话了，有一会儿没吭声。

"我很喜欢你写的故事，如果我们要离开这里……我希望你能先写完它。"

因为白天起床太晚，这天夜里，我迟迟不能入睡，索性一直写东西，写了大半个晚上，直到再也写不出来为止。我放下笔，觉得身心疲倦，偏偏又完全没有睡意。靠在枕头上，眼望黑夜尽头的方向，手指都不想再动一下。我想念年轻的时候，那时，所有的情感都那么的鲜明，带着稚嫩的伤痛，那时的时间仿佛是永恒的，没有衰老以及对失败的担忧。那时，我还可以爱着一个人。

我坐起身，捂住脸，好一会儿才能站起来。我穿起外套，悄悄经过女儿房间门口，下楼离开房子，往昨夜同一个方向走去。

失去了马蹄印的指引，这次我花了更多的时间才找到了森林中心的那块空地。围绕着巨树的藤蔓带我升到了树顶的露台。凶残的行为业已发生，黑骑兵已然离去，这里只有我一个人。

少女的脖颈已经被砍断。我扶着她的头颅，好让脖颈的伤口能够复原。她哭泣，眼泪打湿了我的手，直到脖子上的伤口变成了一条细线。

"你真的是精灵？"我问。

她捂着咽喉的伤痕，青色的血液从指缝里渗出。

"我……是的。"

"你可以实现我的愿望吗？我是说，如果我救了你的话……"

"如果你救了我，我可以实现你的一个愿望。"她说，"只有一个……"

　　锁着她的锁链和面具同样是银色的，我试了很久，无论怎样都无法解除。

　　"我应该怎么做才能救你？"我问。

　　她抬起头，注视了我一会儿。我看见她眼睛里的痛苦，以及痛苦下面升起的微不足道的希望。

　　"那本书。"她小声说，"你要找到那本书。"

第五章　赫连与舒玥

"小狗……你会一直陪着我吗？"

我会一直当你的眼睛。他想这么说。

但他一时什么都说不出，只是点了点头。

　　他一直不知道为什么女孩一家轻易就信任了他，允许他进入他们的生活，甚至把他看成了家人。女孩的妈妈常留他吃晚饭，把改好的衣服送给他和他的外婆穿。他的衣服应该是女孩爸爸的，起初有点显大，但随着他年龄增长，个子长高，那些衣服也愈加合身，简直像是给他定做的一样。但这是微不足道的一部分，和其他一些对他更重要的影响相比。

　　在起初的一段时间里，他有时会听见女孩的爸爸给女孩读那些书，讲述那些书里的内容。那都是他从来没有听过的东西，不同于讲给孩子的故事。在说这些故事的时候，女孩爸爸的声音低沉，也许那正是故事本来的声音。

　　那些故事里，成千上万的士兵和奴隶为一个美丽的女人而死于战争，英雄和神灵互相杀戮，最英勇的战士也难逃死亡的命运。人类里最聪明的那一个，也无法抵抗衰老和命运的嘲弄。年轻的僧人试图理解真理的奥秘，坐在一棵菩提树下，直到白蚁把他蛀成了白骨。孤独的老人在海上和一条大鱼搏斗了几个日夜，群鲨吃掉了那条鱼，老人带着尊严和大鱼的尸骨回到了陆地。

他被这些故事吸引，在旁听了这些故事以后，他借读了每一本他可以借到的书。放学后，他在女孩家的书房里寻找那些神奇的故事。喜欢读书的人总是善待同样喜欢读书的孩子，舒爸爸允许他待在这个家里读书，也允许他借没有读完的书回去。他带回了自己的阁楼，在小床上读那些书，不管外婆的叮嘱，开着台灯阅读一整夜，读完合起书，抬头看见黎明的天光已经照进了阁楼的窗口。

他默默地学习，吸收他看到的一切。那些最细微的地方往往显示了人和人的不同。那是教育与不同生活所留下的痕迹。人们很难意识到它们，但却下意识地以这些地方来判断一个人。他并不是个特别敏感的人，对这些细微之处的模仿很可能出于尊敬和爱慕。

他学习女孩一家说话的方式，他们独特的口音，他们的阅读习惯，他们对音乐的欣赏。他按他们读书的口音来纠正自己的发音，一开始也许不伦不类，但时间久了，自然会改变了原来的腔调。他的口音变得和他们一家很像。他们说话既不像本地人，也不像是外地人，在无形中显示和普通人的差别。女孩一家是这么的特殊，即便他们在外表上和平常人没有不同。周围人没有嫉妒他们的原因，很可能正是因为女孩是个瞎子。生理上的残缺弥补了心理上的不平等。人们反而很同情他们一家，对他们变得更加宽容和友善。

舒玥的眼疾是天生的，因为她的父母都没有这方面的毛病，很可能属于天然的缺陷，仿佛造物主在创造她的时候特别厚爱，给予她美满的家庭和父母，秀丽的容貌，然后才意识到这样有失公允，于是最后取走了她的视力。在她出生几个月后，她的父母才发现婴儿对眼睛前面的一切东西都没有反应。他们带她看了很多医生，却无法改变她失明的事实。

舒玥在盲童学校读书，学习盲文。这所学校是市内唯一一所给残疾孩子设立的学校。除了视力，她和一般的孩子没有区别，也许比他们更聪明，更能体会生活中的各种细致的感情。在一般孩子还在做着愚蠢的儿童游戏的时候，她已经在听她爸爸朗读许多作家的作品，为了以后的正常生活，她必须付出比一般人更多的努力。她的心没有被阴霾笼罩，一方面是因为天性柔和，另一方面得益于家庭的教育。

她也是这么对他的。在赫连刚刚开始阅读藏书的时候，女孩给他推荐了很多书，后来她的爸爸也给过他一些阅读上的建议，不久以后，也许只是一两年的时间，他就阅读了大量的文学作品。他的阅读量甚至超过了女孩，很多她没有听过的书他已经读过了。舒玥发觉了以后，觉得有点懊恼，不过很快就发现了办法。

"赫连，这本书我还没读过呢。"她说，"爸爸没有时间，你可以把这个故事讲给我听吗？"

"我、我说不好。"赫连说。他还是不怎么习惯在别人面前开口说话。

"你读慢一点就可以啦。还是你嫌麻烦不想读给我听？"

他支吾了一会儿，只好拿起书，学着舒爸爸的样子读起来，读得很慢，脸还憋得通红，但他想女孩看不见他的窘样。中途他偷偷看她，发觉她很认真地听着，脸微微侧了过去，眼睛很久都不眨动一下。他慢慢放下心，一旦心里感觉到轻松，故事内容也跟着清晰起来，他读得越来越流利，到后来连自己都沉浸入情节之中。

那天他读的是一个不知名的作家的小说，读了两个章节，女孩妈妈就叫他们吃饭了。

"明天再读。"女孩说。

"明天还要继续吗？"

"当然，你总要听我的话不是吗？而且你读得很清楚。"她扶着沙发站了起来，"我跟爸爸说，你可以代替他读书给我听。"

舒妈妈的兴趣不在阅读上，更喜欢教女孩练钢琴，而仪器厂的工作本来就已经很忙，舒爸爸回家还要加班设计图纸，没多少空闲时间，所以很乐意赫连来代替读书的任务。

在他们做功课或者读书的间隙，舒妈妈会在旁边弹一两首曲子。有时舒玥也会练习一些赫连不知道名字的曲子。舒妈妈手把手教女儿弹琴，告诉女儿每个琴键的位置，舒玥在听力上的记性非常好，一般一两遍就可以把一首简单的曲子重复弹出来。赫连只是默默看着她弹琴的背影。

"我妈妈学的是音乐，毕业的时候还开过演奏会的。"舒玥说，"爸爸说他就是那个时候喜欢上妈妈的，可惜妈妈后来转行当老师了，要不然说不定还能开演奏会的。"

"你也要一直练下去吗，像你妈妈一样以后学音乐？"

"我大概不会吧，练琴太辛苦了。而且我眼睛看不见。"

"可是你耳朵那么好用，弹得又好听。"

"有些事不是光靠耳朵就可以的，也不是光靠喜欢就可以的。"

她摇摇头，合上了琴盖。

大多数时间他们是在客厅里活动，如果家里来了客人，她就带他去自己的卧室。她的卧室很整齐，每件东西都有固定摆放的位置，比如书包挂在门的后面，文具盒总是在写字台的右上角，靠着台灯。椅子总是固定在桌子的正前方。这样她就算看不见也可以找到需要的一切东西，只要记住位置就行了。上学时穿的衣服妈妈会帮她放在椅子上，这样她第二天起来可以自己摸索着穿上。她睡觉的床是一张铺着天蓝色床单的木板床，褥子很柔软，在枕头边上有一只半个人大的绒毛熊，乳白色的。她很喜欢抱着它和他说话，脸摩挲熊的脑袋。时间长了，玩具熊都沾上了女孩的气味，温和而体贴的香味。有时她让他抱着玩具熊，他闻到这个香味，脸上都会发红。

她有很多奇怪的习惯，比如喜欢趴在窗口听下雨的声音。尤其是那种连绵的细雨。有很多个雨天，他读书给她听，她听着听着就蜷缩在沙发上睡着了。有时下小雨，她会故意不打伞，来感受每个落到皮肤上的雨点，她可以通过皮肤感觉到雨水的实质，对于无法看见的事物，她总是用其他方式去感知。

"赫连，你长什么样子？"她问。

赫连张口结舌，不知道怎么回答。

"我想我长得很难看。"他说。

"你在骗人，"女孩说，"我问过妈妈，妈妈说你长得很秀气，就是太瘦了。"

"……"

"其实你也知道，我不知道好看难看是什么样子的，我又看不见，我连我自己是不是好看都不知道。"

"你很、很好看。"他说。

"是么。"她微笑着说，"你坐着别动。"

"你要干什么？"

"我要自己来辨认一下。"

她伸出两只手，捧着他的脑袋，用手指感觉他的五官。她摸他的耳朵，然后是脸颊，又从脸颊上移到眉骨。赫连感觉纤细的手指描了一遍他的眉毛，又跟雕塑家一样塑造他的鼻梁，她抚摸他嘴唇和下巴的线条。女孩把双手都插进了他的头发，摸他后脑的形状。她动作很慢，带着不安，却又很轻巧。后来她好像已经在心里描绘出了他的样子，嘴角微微翘了起来。

"我知道这样你肯定不习惯，可是不这样做的话我就弄不清你的长相。"

"这样你就知道我的样子了？"

"嗯，知道了。以后我就不会记错你了。"

说完，她的手放了下来。

第一次他在她房间里读书，读着读着，天色变暗了，他读不下去了。女孩偏头想了想，伸手摁亮了台灯。他有点惊讶，因为本来觉得她看不见，是不需要台灯的。

"我的房间也有灯，你感到奇怪吗？"她问。

"是你看书用的？"

"我怎么可能需要灯呢？当然是给我爸爸妈妈准备的，省的他们晚上进来什么都看不见。"她说，"不过冬天的时候我喜欢开盏台灯。"

"为什么？"

"因为台灯会发热啊，灯罩摸起来很暖和，就跟个热水袋一样。冬天我的手指很怕冷，一冻麻了就什么也读不出来了。"她说，"像我这样的人都是靠手指读书的。"

她摊开盲文课本，右手搭在他的手上，教他的手指在页面上慢慢摸索。他的指尖可以察觉凸起的拼音，这是她的世界。她每天就是这样来学习和阅读，直着背坐在那里，眼睛微微睁着，手指很仔细地描出每一笔凸起的笔画，在心里把它们读出来，拼成文字和语句，从而读懂它们。

这个过程犹如魔术一般，他一度着迷于此。但他不是真正的盲人，所以始终没有学会阅读盲文拼音，只会简单地读出几个字。这成了两人间的一种游戏。她偶尔会考他盲读课本上的句子，不管他有没有正确地说出来，她都会轻轻抚摸他的脑袋，仿佛他也是一只毛绒玩具熊。

"你为什么要学这个呢？你的眼睛又没有问题，"有次她忽然生气了，"你是在笑话我吗？"

他窘得不知道怎么解释，但舒玥只有那一次生气过，在那次以后，他们就不太玩这个游戏了，赫连只是读书给她听。

在所有的书里，对于冒险和动物题材的小说她是最偏爱的。就是如果让她来选择阅读书籍，她一定会选择凡尔纳和，其中她并不喜欢乔治·奥威尔的《动物庄园》。随着时间的推移，她越来越喜欢描述感情的小说。她让他读《小王子》给她听，还挑剔地指出他模仿狐狸的语气不是很令人信服，尽管当小王子回到天上的时候，她明明哭了起来。两人都不怎么喜欢《红楼梦》，虽然这本书是舒爸爸的最爱。

太厚的书读起来总是很费劲，所以他们选择的小说尽量控制在一卷本里，这样一来，很多大部头的书只能忽略过去，比如狄更斯和大仲马的小说，这未免有点可惜。但也不是没有解决的办法，赫连先看完它们，然后把大致内容和主要的情节告诉舒玥，就好像是给她读了一本缩写本一样。尽管是缩写，可是她仍然觉得很满意。不过也有一次，她求他读整套的小说给她听，那是上中下三本，厚厚的一套《飘》。他只好从头读起，用了整整一个月时间。

那绝对是个痛苦的过程，并不是因为这个小说本身糟糕，实际上恰恰相反，故事里人物的命运始终牵扯着他们的注意。在对人物的理解上他们第一次有了分歧。虽然他们都还只是孩子，不懂得感情是怎么一种复杂的东西，可是却为两个主角的行为各有看法。他喜欢白瑞德，但舒玥不能原谅白瑞德后来冷落郝思嘉。跟小说里的人物一样，他们也始终在争执，到读完整本书的最后一个字，他才感觉到解脱了。而且在以后的几个星期里，他们都没再读什么东西，每次在一起时只是在客厅里看电视或者玩跳棋。这让舒玥爸爸妈妈觉得奇怪，你们怎么这么安静，他们问，是书读完了吗？

舒玥看电视时只是听电视里的声音，如果没有声音提示，她就只能求助于赫连。她问赫连电视里的人在干什么，动画片里的老鼠又给猫设下了什么机关。在两人刚认识的时候，她是个很安静的女孩，不喜欢多说话，就算不知道电视画面放的是什么也绝对不开口询问。可是当他们熟悉以后，当她真的把他当成了家人以后，她开始变得像一个普通女孩那样好奇，一旦遇到自己不能理解的情况，就会问赫连发生了什么，让他解释给她听。她变得依赖他，如同依赖她的爸爸那样。

舒玥也去过赫连家，外婆通常留她吃饭。当她执着盲杖走到石库门的弄堂里时，总是没法避开周围人的注意，所以他更多还是去她家里。一般他去别的地方外婆还要过问一下，只有去女孩家是个例外。有次舒玥说想参观他住的房间，他扶着她爬上阁楼，却忘了提醒她注意天花板，结果她的额头撞了一个大包，当时眼泪就在眼眶里转圈。他慌里慌张地捂着她的额头，给她擦清凉油。她明显生气了，回家路上都没开口和他说话，可是到家以后，当舒妈妈问她的伤口，她却回答是自己不小心撞了电线杆。

他生病卧床休息时，她去看他，问他想看什么书，好下次带给他，还好心把自己的随身听留下来给他听。那是她爸爸去香港出差时给她买的生日礼物，爱华牌的小播放器。随身听里放的都是些港台音乐和外国歌曲磁带。

"哎，赫连，你一定很难过。"

她的手放在他额头上，轻声哼着什么歌。他昏昏沉沉地睡了过去，再清醒时她已经不在了，枕头边上留着那台爱华牌随身听。好像这是他最后一次在冬天病倒，那次康复以后，他就很少再在这个季节生病。

　　他们的学校在同一个方向上，赫连所在的中学比盲童学校要更远一点。以前是舒玥的父母接送她上下学，后来因为顺路，他们常常在路上结伴。早上他在路口等她，看她点着盲杖从住宅区出来。然后她拉着他的书包带，让他一路带到学校里。放学时也是同样。之前她常和其他一些盲眼的孩子一起回家，有了赫连带路以后，有时他们会和他一起走。这些残疾的孩子非常抱团，其实和一般孩子没有什么两样。那些女孩好奇地问舒玥，赫连是她的什么人。

　　"我弟弟啊。"舒玥拉着他的手臂说，"来，叫姐姐。"

　　他硬是没有叫，女孩们笑得东倒西歪。

　　她们接受他的速度快得惊人，就好像他也是个失明的孩子，或许更应该说是出于舒玥的原因。没多久，连盲童学校的老师都知道了她有个不太爱说话、很喜欢看书的弟弟。如果他去早了，盲童学校还没放学，老师们就让他坐在教室后排等一会儿。那他就从书包里拿出一本书来，读到舒玥他们放学为止。

　　赫连很喜欢和这些孩子在一起，不知道为什么，他觉得比起他的那些学校同学，他更像是这些孩子的同伴。他更喜欢和这些孩子在一起，就算他们什么都看不见，可能正是因为他们看不见他，才让他觉得安心。

　　自从他们两个人认识以来，舒玥始终要比他高半个头，但这个差距慢慢变得不那么明显了，到他初中快毕业的时候，有一天，她把手搭在他肩膀上时愣了一下。

"你是不是长高了？"

她疑惑地让他站直，右手伸到两个人的头顶比划了一下。确实是的，现在他们已经一样高了。

这年春天的郊游，女孩一家带着赫连一起去郊区的公园游玩。那是真正意义上的公园，没有饲养任何动物，只是有一块草地围了起来，草地上养了两匹老态龙钟的马，不管背上有没有人骑着，都自顾自地低头啃草。赫连和舒玥每人骑上一匹，任着老马在那块空地上慢慢走动。公园里有个天然湖泊，岸边泊着十几条手划的木船，她爸爸教会了他使用木桨，两人在船尾交替着划水。女孩和妈妈坐在船头位置，有时她抓紧船帮，小心地把手伸进水里。

在公园边门位置有个疗养院，大概像一个中学那么大，寄住在里面的大多数是需要照顾的老年人，有十个人一起住的房间，也有一个人独居的房间，因为一墙之隔的地方就是郊区公园，附近景色宜人，所以有许多人长期居住在里面疗养。在划船经过那里时，赫连可以看见里面的老年人坐在院子的木椅上，像看风景一样看他们，有时还会向他们招手示意。

"这里风景真好，我现在都有点儿想住进去了。"舒爸爸和舒妈妈说，"等我们老了，女儿又不管我们了，我们就住到这个地方来吧。"

"嗯，好是挺好的，"舒玥妈妈说，"不过房间肯定不好订，要提早申请，还不一定就能住进去的。"

"不要紧，我认识里面的医生，说起来还是我的一个远房亲戚。等以后女儿长大了，我们就自觉点搬到这里算了……"

"谁不管你们了啊？"舒玥抗议说，"这不是我说的啊。"

"哎，只要你记得来看我们就行了。"

"好吧，"她叹了口气，无奈地托腮说，"我会经常来看你们的，这下你们满意了吧。"

"赫连，你要作证哦，女儿说要把我们送进养老院的。"

"喂喂，是你们自己说的，我可一个字没说，"女孩的脸一下子红了，"赫连你不要听他们的。你不要学我爸爸那样开玩笑。"

虽然只是开玩笑，但他们上岸后真的进了疗养院看了看。赫连看见里面的老人都和他的外婆年龄差不多，有的还要老一点。老人们很喜欢年轻人，纷纷请他们吃点心。他们尤其喜欢女孩，对女孩眼睛失明大为惋惜。

"我孙女也跟你们差不多大，"有个老人大声说，"她每个礼拜都来看我的。"

一帮老年人立刻讨论起孙儿孙女来，有些老人大概没有儿女，就默默坐在自己的床铺上看着两个孩子。

离开疗养院的时候，舒爸爸把赫连叫过去问他事情。

"赫连，你外婆问过我你上学的事，"舒爸爸说，"你自己怎么想？是想上中专技校，还是继续读高中？"

他摇摇头，不知道它们有什么区别。

"是这么回事，中专技校出来以后就可以做学徒工了，你可以学一门技术，当个技术工，如果你想要早点上班，我可以想办法帮一下忙。不过呢，我跟你外婆说，你应该上高中。"

“为什么？”

“上了高中，你可以考大学。”

“大学？”

“对，你可以读大学，至少应该试一下。”

“如果考上大学了，我是不是要去别的地方读书了？”

“是的。你应该去大城市读书，像北京啊，上海啊，广州这些地方，男孩子迟早要去见见外面的世界，开阔一下眼界，然后再决定以后做什么。你想过以后要做什么吗？”

“我不想当纺织厂的学徒工，我想做……医生或者当老师，”他讷讷地说，“我想像叔叔你这样……”

“我这样没什么了不起的，比我厉害的多得多了，”舒爸爸笑了起来，不过不是笑话他，“只要努力考大学，这都可能做到的，你在数理化上面有什么不懂的地方，可以来问我，我理科还凑合。”

他点点头，但还有个想法没有说出来，这个想法现在还很模糊，他不知道该怎么说出来。

“舒玥也考大学吗？”他问。

“如果她眼睛没事，我会让她读大学。我会让她进最好的大学，然后出国，再去读国外的大学。她一定可以的。”

赫连听见他轻轻叹了口气。

“舒玥的眼睛有没有办法治好？”

“也许有办法的，听说现在上海那边有一种新的治疗方法，用激光做一种修复手术。过段时间，我想带她去看看。”舒爸爸说，“如果治疗成功了，她就能看见东西。那样她就能像你一样正常地上学读书，然后上大学了。"

"她比我聪明，成绩一定会比我好。"

舒爸爸拍了拍他的肩膀，算是感谢他的回答。然后他们走回舒玥和她妈妈那里。

他考上了当地的一所普通高中，本来他的成绩顶多算是中游水平，想录取还是很困难的。但在考前最后几个月他复习得很用功，勉强挤进了高中的分数线。不过新学校离舒玥读书的地方远了些，基本上在城市的两端。

他把通知书拿给舒玥看。她摸了摸纸张，放在一边。

"以后不能顺路带你回来了啊，"她揉揉他的头发，"你自己路上要当心，别太晚回家。"

"你才真是要当心啊。以后我不能给你领路了。"

"是啊，我的小狗不见了。"

"什么小狗？"

"外国有种训练好的小狗，叫导盲犬，专门帮盲人带路的。它们很聪明，会自己看红绿灯，避开障碍物，带主人回家。"

"你有这样的导盲犬吗？"

"我一直有的啊，你这个笨笨，"她右手轻柔地摸着他的头发，"你就是那只导盲犬啊。"

"我才不是狗呢。"

"不，你是的。"

她靠近他，跟撒娇一样，在他耳边柔声说。

"赫连，你是我的小狗。"

他的心跳得厉害，连话都忘了说。舒玥抱起那只米色的毛绒熊，把脸埋在熊脑袋上。

"你怎么不说话了？"

沉默了半天之后，他忽然莫名其妙地想起来说完全不相干的话。

"小时候我见过真的熊。"他说。

"你说什么？"她奇怪地问。

然后他就突然说了起来，说了好长一会儿。

他和她说起小时候遇见棕熊的事。那是他七岁的夏天，周末爸爸带他到伐木场值班，在伐木场的边上有条很宽的大河，河流的上游在更北边的地方。他远远地看见对岸有两个黑点在移动，是两头熊，一头大的，一头小的，小的那头很顽皮，在岸边扑水。爸爸说那是一头母熊和它的熊崽子。他们一直远远看着它们，母熊察觉到了他们的存在。直立起来，仿佛一个真正的人披着熊皮在对岸和他们遥遥对视，他甚至可以看见它棕色的眼线。后来它趴了下来，回头拱了拱它的孩子。两头熊消失在河岸线拐弯的地方。那是他唯一见到的一次，他记得很清楚。它们和动物园里的熊完全不一样。

"可惜动物园里的熊是什么样我也没见过。听你这么说了，我真的很想能亲眼看一看。"舒玥说，"下个星期，爸爸要带我去上海看眼睛。"

"要多长时间？"赫连问。

"不知道呢，应该很快吧，反正现在是暑假，就当是去玩了。"

"嗯，是啊。"

"不过这段时间我们是见不了面啦，你多带几本书回你家去看吧。你暑假有什么安排？"

"没有，就在家看书吧。"

"也许回来的时候，我就能自己看书了。我就能看见你长什么样了。"舒玥说。

赫连带了几本书回家。两天后，舒玥和她父母乘火车走了。带回家的几本书在头一个星期就已经读完了。他放下书本，从阁楼的窗户看女孩家的方向，从那一排排的房子里她家的那一幢，也许可以看见一个屋顶，但他不能确定到底是不是。傍晚出去乘凉，他会独自跑到那幢房子院子前面，希望可以看见屋里有盏灯亮起来。可是他失望了。有次他趁着天黑差点想翻墙进入花园里，被隔壁的住户察觉呵斥，他躲在栅栏的黑影里，连气都不敢喘上一口。他也不明白自己是在做什么，就算爬进了院子又能怎么样呢？他又为什么非要进去不可呢？难道只是为了拿几本书吗？

时间一天天过去，他越来越想念她。晚上睡觉前，如果没有能想起她的样子，就好像被关在了一个黑暗的无边无际的笼子里一样。他想起舒玥说话的样子，想起她走路小心地踮起脚尖，想起盲杖敲打路边的铁栏杆，"像不像弹钢琴？"她问。他的思绪把她的形象混淆了，有时她的样子是一个十二岁孩子的样子，在医院里往他的手上写名字，有时又只是一个坐在钢琴前的背影，就好像越想认真想起她的样子，就越是难以想得清楚。他们两个人太熟悉了，所以他反而忽略了那些变化，她已经不再是那个需要人引路的失明小姑娘，她也不是他的姐姐。她是个秀丽的少女，能够使初次见面的男孩半夜失眠。而他现在才感觉到，在看不见她的这段时间里。他不知道该怎么办，那种想念快要撑破了身体。就算她现在在他旁边他也不知道该怎么办。

当手上的书读完以后，他去纺织厂的图书室借书，那里其实没有几本书，只是有很多的杂志。那几周时间，他看光了图书室里的每一本杂志。他和纺织厂的工人一起上下班，当随着下班的铃声一起出厂时，仿佛就是厂里的一个小青工。所有人的面孔都异样陌生，脚步疲惫，行色匆匆，犹如一个个徒劳的幻影。他忽然意识到这很可能是他的将来。他是不是注定要待在这个城市，做这样一个每天上下班的工人？他不知道。他也不是很理解大学的事，只是觉得，那样可以让他距离她的生活更近一点，这样，他才可以继续看见她。他能够想到的只是这个。

一直到快要开学的时候，舒玥一家才回来。他路过她家院子的时候，看见房子里开了灯，舒妈妈在厨房里做饭。二楼她房间的窗户是暗的，没有开灯。他感觉她就在房间里坐着。等了许久，房间里仍然什么动静都没有。酝酿了几个星期的勇气忽然消失了，他没有去找她，而是返回了自己的家。

他很想知道舒玥的眼睛看好了没有，但一想到她能看见他，一想到她的眼睛能够注视他，他有点不知道应该如何面对。舒玥一直没有离开过家门。她的房间一直暗着，就好像她的人并没有回来似的。

直到几天后赫连才去找她，带着几本要还的书。舒玥的爸爸正好要出门，招呼男孩进屋。赫连甚至都没来得及问舒玥眼睛的事情，他就出门了。

舒玥待在她的房间里。他走进去，看见她坐在床上，抱着那个棕色的玩具熊。在他进到房间的一瞬间，舒玥朝他转过面孔，眼睛睁着，好像能看见他一样。他的心跳了一下，不过很快就发觉她的目光里带着茫然的神色，就和以前一样。

"是你吗，赫连？"

"我看见你们回来了……我来还书，顺便来看看你。"他说。

"回来好几天了。"她说，"这次去玩了好几个地方，要不是快开学了，都不太想回家了。"

"你去了上海吗？"他问，"那个地方是什么样的？"

"嗯。那是个很大很大的地方……到处都是马路，马路上都是汽车在跑的声音。有非常非常多的人，公共汽车上挤得不得了，我不太习惯。不过那里人说话和这里很像，基本上都能听懂。我们在那里不会被当成外地人看。爸爸带我去了一个叫肯什么的地方，是外国的快餐店……吃汉堡包和可乐，要排很长的队，刚在上海开第一家。锦江乐园的过山车有点吓人……可是我们没有去那个大世界，听妈妈讲那并不是一个最好玩的地方，还有城隍庙……我们去了虹口公园，在鲁迅的雕像那里照了相，爸爸说虹口公园很像我们这里的公园，而且公园门口附近的房子跟我们家很像，都是那种带花园的小洋房……"

舒玥好像很有兴致谈遇到的事情，一说起来就很少停下来。可是越到后来，她说得越来越慢，几乎只是为了维持说话的样子而说一两句话。她说话的所有内容都是去玩的地方，却唯独一点都没提她去看眼睛的事。赫连听了很久，感觉她已经说累了。

"……你去看过那里的医院了吗？"他问。

"去过了……去了好几家医院。做了手术，可是手术以后我还是这个样子。"

舒玥沉默了一会儿。

"医生说，我的眼睛能看好的机会很小，基本上不太可能了。"她轻轻说，"小狗，我大概永远看不见东西了。"

房间沉默下来，落地扇转来转去地吹着风。她把脸埋在小熊的脑袋上，他看见她在流眼泪，眼泪从腮边流到玩具熊的耳朵，沾湿了很大一块。明亮的光线从窗户外面照进来，像是描摹她的形象。她穿着一条黑色的连衣裙，靠着窗户，像安徒生笔下的小美人鱼雕像那样坐在床上，肩部那小小的颤抖如同在忍受刀割般的痛苦。他的心里有长久的空白，就好像很长时间都在做一场不切实际的梦。他梦游一样伸出左手，擦拭她眼睛边上的泪水。她的脸挨着他的手。

就这样过了很长时间。

"小狗……你会一直陪着我吗？"

我会一直当你的眼睛。他想这么说。但他一时什么都说不出，只是点了点头。

她把脸靠在他的手上，很久没有说话。他的手心可以感觉一点点的抽动。过了一会儿，她稍微抬起手臂，像是想辨认他一样，把手放在他的脸上，轻轻抚摸他的轮廓。他能感觉到她的手指碰触他的鼻子，眉骨和嘴唇。她看不见他，眼睛却是睁开着，眼睫毛又长又细，瞳孔大得不可思议。即便在他第一次亲她的嘴唇时，这双眼睛也没有闭上。仿佛受了点惊吓，迟疑了一下，她抓住了他的手。然后闭上了眼睛，等待他的亲吻。

风吹动她的秀发，她的身体苗条而柔软，几乎还带着稚嫩的曲线，每一寸肌肤都散发着青春的光泽，连伤感的亲吻都带着甜蜜的味道。

那时她十六岁，永远。

第六章 那本书

一滴水永远融汇于大海，一本书永远藏在有许多书的地方。而故事……永远都只是许多故事里的一个。

　　在给一个孩子说的故事里出现情爱描写显然不合适，所以在读的时候我跳过了那几段。女儿微微皱起眉头，好像遇到了难以理解的问题。当我读完那一部分后，她表达了看法。

　　"不知道为什么，我觉得有些地方，好像有一些很甜美的部分你没有说出来，比方说他们在一起时做的事情。"她问我，"到底是什么让男孩和女孩那么喜欢对方？"

　　我考虑了很长时间，不知道怎么回答她。

　　"……都会做家务。"最后我只好说。

　　"……你其实也不懂，对不对？"

　　"我有很多不懂的事。"

　　"你写的这个故事，是关于爱的，是不是？"

　　"是的。"

　　"你也有这样的经历，是么，爸爸？"她问，"有人爱过你，你也爱过别人的经历？"

"我……不知道。"我说，"我忘了。"

我意识到自己确实忘记了很多东西，有很多东西和很多感觉都记不清楚了。我在女儿这里住了太长的时间，过去的生活好像都变得很遥远了。记忆中除了小时候，我几乎从来没有享受过这样安静的日子，每天几乎只是散步，休息，写作，说故事。成年以后，我和多数城市人一样，渐渐融入了所谓的现代生活，在喧闹中睁开眼睛，又在喧闹中睡着，总有一天，我们也都会在喧闹中结束自己的一生。

我合起了书。

手上这本书已经写了一半，还有一半的页数是空白的。如果一本书的写作是旷日持久的马拉松长跑，那么现在我的行程已经过半。可是就在这时，我无可避免地转入了低潮，脚步踉跄，陷于停顿。我不知道应该怎么写下去。就和这两年我尝试的每一个晚上一样，面对空白的稿纸，不知道如何下笔。

这个糟糕的时刻在第一天来临的时候，我还以为只是暂时的情况。我放下笔，离开房间，去屋外散心，冀望散步时灵感会到来。可是灵感不是这样来的，它是需要持续不断地写作来激发，当你停顿下来，它也无可避免地离开。

写不出东西的夜晚，遥望树塔所在的方向，那里可以望见些微的轮廓。每天晚上湖精灵都会被伤害一次，在死去的边缘复活，而我每一夜重复地徒劳地写作，沮丧和担忧。如果说记忆和梦幻是每个人拥有的最不朽的东西，那我正在渐渐失去它们。我甚至体会到了她的绝望。求求你，杀死我。她请求说。空虚感正在占据我。

我失去了继续写下去的勇气。

我写不完这个故事了。我绝望地想。

我开始寄希望于火车的到来。如果火车这时来了，我就有借口在写作中途退出，直接走掉了。不是我写不完这本书，而是因为火车来了，我不得不走。这不是个完美的借口吗？谁也不会谴责我，连我自己都不会。我会把它当成是真的。

我一连几天走去车站，在站台的长椅上消磨一整个白天。铁轨的外侧已经有了锈迹，路基下长出了草穗。没有任何列车会来的迹象。没有一列火车会到这里来。在虚度一天时光后，我只有回去屋子里，继续试图写点什么出来。

我的脾气开始变坏，失眠和焦虑让我变得暴躁。我不想和任何人说话，不想看见任何人的脸。我刻意躲避老先生和女儿，以写作为借口避免和他们一起吃饭，把自己关在房间里，烦躁地走来走去，恨不得砸烂点什么。我想我迟早会疯狂。

这天晚上，我面对空白的纸页，两手捂着脑袋低头坐在书桌前，一直到女儿来到我的身边。

"爸爸，你在干什么？"她小小的身体趴在我肩上，问。

"我在想事情，"我控制住自己，说，"在思考。"

"晚上不睡觉，在思考？"她问，"你好像很不快乐，是不是有心事？"

她轻撸我的头发，好像撸小狗一样。

"我想起来以前的一些事。在来这里之前，我这几年都过得很糟糕。我搞糟了很多事情。"我说，"我在想为什么我的生活会像现在这样一团糟。"

"包括我？"女儿悄声说。

"不包括你。"我摇头，"我只是觉得，也许我真的是个很自私的人，一个又自私又糟糕的爸爸。"

女儿继续轻撸我的头发。

"不是那样的。"她说，"因为你是我爸爸。"

"你去睡吧，我接着写那本书。"我摸摸她的脑袋。

"可是，我想陪着你。"她抬起眼睛看我，"我需要学习。"

"学习什么？"

"我在学习，"她说，"学习怎么当好你的女儿。"

我忽然有点说不出话来。我不想让她看出我的羞愧。

"你为什么要写书？"女儿问，"你为什么要把心里的故事说出来？"

"这是我的工作，因为要赚钱。"我说。

"可是你为什么要做这份工作？为什么没有选择其他的工作？"

"因为我只会这个。"我说，"除了写故事以外，我没有其他的才能。"

"可是它让你这么痛苦。"

"还是有开心的时候的。"

"因为那些开心的时候所以做这个工作？"

"……其实不是因为那些开心的时候，也不是因为它能赚很多的钱。"

我想了一会儿。

"我写书，因为觉得必须写才行。如果我不写书，不说那些故事，就觉得自己好像不是活着，不知道自己是谁，不知道自己为什么站在这里，为什么每天睁开眼睛面对这个世界。我不明白自己到底是谁，也不知道自己从哪里来，又要去哪里，只有在写东西的时候，我才觉得我是在做对的事，才感觉到活着是一件有意思的事。所以，就算知道这个工作赚不了钱，就算知道这不能当做一份职业，我还是会去做这件事。"

"就算有的时候很难过？"

"那是难免的，就跟爱一个人一样，你不可能永远都是快乐的。无论快乐还是难过，都是其中的一部分。"

"我有点懂了。是不是就跟小熊一样？"

"小熊？"

"小熊必须回森林里生活，不管它和我们有多么亲密。"

女儿把耳朵贴到我的后背上。

"爸爸，我好像感觉你的心里也有一头小熊。你心里有它的声音。所以写书是你必须做的事，不管是对是错，不管结果怎么样，不管故事是快乐的还是难过的。"

我觉得喉头快堵住了。

"会好的，爸爸，一切会好起来的。"

她轻轻抱着我说。

　　"你去睡觉吧。"我说，"我继续写这本书。"

　　我在书桌前继续坐了一会儿，努力让自己镇静下来。心情虽然已经平静，可是仍然写不出一个字。我心灰意冷地躺倒在床上，把脸压在枕头里。本来只是想休息几分钟，但眼皮不知不觉闭上了。

　　我很快进入睡梦中。我梦见自己一个人在森林里走路，女儿不知道去了哪里，在梦中她真的成为了我的孩子。我向森林中心走去，看见了那座树塔。树塔上有哭声和灯光，我爬上树枝，想看个分明。然而黑骑兵踩着我的身体踏上了树顶的露台。露台上有个人被锁链锁住了。我看见了那个人。那个人在害怕地哭。黑骑兵正提着长刀向她走去。

　　那不是湖精灵，是女儿。我的女儿。

　　我一下子惊醒过来。满头大汗。还好只是一个梦。

　　我站起来走到窗口，望向树塔的位置。

　　那个念头忽然间就出现了。而念头一旦出现就再也无法把它从脑海里驱除，如同一个快淹死的人看见一根漂浮在水面上的稻草，会拼命抓住一样。

　　我的头脑里现在只剩下这一个念头。

　　第二天傍晚，我终于离开了自己的房间，下楼去到老先生家，和女儿一起吃晚餐。老先生看见我显得有些意外。我借口写书，和他已经两天没见面了。三个人一起做了晚饭，把胡萝卜切成丝，削掉土豆的皮，把鸡蛋打在碗里搅成鸡蛋花，主食是番茄和卷心菜，老先生自己擀的面条。吃完晚饭，在天黑之前，我先送女儿回了家。

"你先回房间，"我对她说，"我有件事忘了和老伯伯说。"

"天快要黑了……"她在门后面说，"你早点回来。"

"我知道。"我说。

我折回老先生的住处，敲了敲门。老人给我开门。

"怎么回来了，有事吗？"

我点点头。于是他让我进了屋。我进屋后他沏了杯茶。我端着茶坐在椅子上，望着天光耗尽，看看腕上手表，时间差不多已经到了晚上。

"有件事想请你帮忙，"我说，"因为你对这个地方更熟悉。"

"如果能帮上忙那当然可以。"他说，"是什么事？"

"我一直在记录黑骑兵出现的时间。他只有在半夜以后才会出来。"我说，"在他还没有出来以前，我想再去那个地方。"

老人看了我一会儿。

"你想现在去那个地方？为什么？"

"我想知道一件事情。"我说。

我和老先生摸黑走在林间小径，月亮被云层遮住了，四周光线朦胧。但现在已经属于夜晚，无论黑骑兵还是树塔应该已经现身，为了保险，我们都没有打开手电筒，只是凭着记忆和树影往前摸索，路上花费了比以往更多的时间。我总感觉有什么人跟在我们后面，但回头观望，却没发现任何踪影。周围的树身越来越高大，好像在夜色里生长了起来。当我们走到森林里那块广场的时候，月亮正好露出了云端，古老的树好像灯塔一样矗立在月光下。

湖精灵垂首坐在地上，长发如流水般覆盖在周围的地面，我们刚一踏上树枝，她好像就感觉到了，地面的秀发好像起了涟漪一样。她因为恐惧而不停地颤抖。手脚的锁链都在叮当作响。

"是我们。"我说。

她抬起头，看见了我，但是肩膀的颤抖仍过了一会儿才停下。

"我应该怎么救你呢？"我问，"应该怎么做才能够找到那本书呢？"

湖精灵凝视着我的眼睛。

"你真的要去寻找那本书，阅读那本书里的故事吗？"她轻声问，"不管那个故事有多么残忍，有多么的不可思议？"

"是的。我已经决定了。"我说，"我想找到它。请告诉我它在哪里。"

"它在你一直没有发现它的地方，它在你一直会发现它的地方。"她说，"一滴水永远融汇于大海，一本书永远藏在有许多书的地方。而故事……永远都只是许多故事里的一个。"

"我不懂。"我说，"我不明白，请再说明确一点。"

"那里是所有书诞生的地方和死去的地方。"

"沼泽地。"老先生低声说。

"什么沼泽？"我问，"这个地方到底在哪里……"

背后忽然传来一小声脆响，好像是有人踩断了一小节树枝。我紧张地回过头，有个瘦小的身影躲在树干后面，只露出了一条马尾辫。

"她知道……"湖精灵朝着那里伸出了手指，"过来吧，不要害怕……"

女儿小心翼翼地从树干后移了出来。你一直在跟着我们，是吗？我想。还是你从一开始就知道这里？

"我……睡不着，从窗口看见你们了，"她结结巴巴地说，"然后我就跟着你们……"

"你快点回去。"我说，"你在家里等我们。"

"我不回去，我要跟你们一起，"

她张开嘴呼吸了几下，露出牙齿的小豁口。

"一个晚上。"精灵说。

"一个晚上？"我问。

"必须在黎明到来之前找到那本书。"湖精灵说，"你们只有一个晚上的时间。"

我不知道该怎么办。女儿走过来，看了看我。

"我知道怎么去沼泽，我去过那里。"她说，"让我带你过去，爸爸。"

没有什么选择余地，我只好让女孩带路。我们攀着藤蔓返回地面，我和老先生跟在她后面，朝月亮相反的方向走去。

"沼泽是怎么一回事？"我问老先生。

"我只在地图上看过它，可是没有去过，"老人说，"只知道那里原来是另外一片森林。"

"为什么现在成为沼泽地了？"

"人们把那里的树全部砍光了，然后把木材变成纸浆做成书籍。你知道，书籍也是有寿命的，有一天，当它们意识到自己作为一本书的使命已经完成，它们就会回到最初的地方。日积月累，无数的书都回到了那里，沉积了下来，那里就变成了书的坟墓，沼泽地。"

女儿一开始走在我们前面，在我们谈论沼泽地时，她渐渐走到了我旁边，伸手拉住我的外套。我的手背可以碰到她的手指，皮肤一片冰冷。

"你去过那里？"我问。

"……去过。"

"什么时候去的？"

"你还没到这里的时候……我每天都会在森林里玩，有一天发现了一条小路，我沿着路走到了那片沼泽。"

她忽然打了个冷颤。

"怎么了？"

"我看见沼泽里有很多的怪物，……我差点就被抓住了。"

"怪物？什么样的怪物？"

女儿比划了半天，可是我们都不知道她到底想说什么。不过就算有怪物或者野兽，我们也已经走在了前往的路上，夜间的雾气越来越大，和普通早晨的水雾不太相同，此刻闻在鼻子里闻到的似乎是许多纸张发霉腐烂的气味。

"快到了。"女儿像猫一样嗅了嗅鼻子，"现在我觉得我的感冒终于好了。"

雾气从灌木丛里窜出来，缠绕着我们的肢体，脚下连路都看不清了，时常有低矮的树枝打在脸上，我把女孩挡在身后，老人在前面挡开灌木丛。两个手电筒的灯泡不一会儿就变得昏暗不堪，湿雾仿佛云团一样包裹着我们，我们迷失了方向，只好站在原地。

女儿从口袋里拿出半根白色的蜡烛，老先生看见了，从裤兜里掏出塑料打火机，点着了蜡烛。蜡烛的火苗摇摇晃晃，仿佛随时都会熄灭，但却很明亮。雾气开始退缩，仅仅片刻后，白雾就退回了丛林里，前面已经能看见灌木丛的出口。

我们在烛光的指引下走出了丛林。丛林外不远就是一片寂静的水塘。月光从我们的背后照入了水塘的表面，几乎感觉不到挣扎就陷了进去，水塘表面好像月球一样无声无息。

"前面就是沼泽。"女儿拉了拉我的袖子，"我们到了。"

我走到水塘的边缘。沼泽地看起来很开阔，有一些没有砍伐掉的树斜斜地刺出水面。在接近丛林的边际长着随风晃摆的芦苇，除此以外，再也没有其他的痕迹。也许是水面上漂浮许多浮萍的关系，就连月亮的倒影都显得那么模糊。但是连那些浮萍都在逐渐消散，它们随着气泡冒出水面，然后渐渐稀薄，消失。

我蹲下身体，就着女儿手中的烛光看向水面，却发现那些不是浮萍，它们远比浮萍要琐碎微细。它们是黑色的，肢体是线条组成的。

它们不是生物，它们是文字。

一个一个的文字像蜉蝣一样漂浮在水中。许多文字从水下浮现出来，有的还连在一起，断断续续的句子。

希腊人烧掉他们的战船，他的尸体被拖在战车后面……
他是个独自摇船在湾流打鱼的老人……
敲钟的怪物……头戴花冠的吉卜赛姑娘……
她们一面在水面游泳，一面唱出凄怆的歌……然后她就
从船上跳到海里……她的身躯在融化成泡沫……

更多的句子都已经缺失，断裂成没有意义的单词。我舀起一捧水，接住了其中几句优美的文字，水从指缝里流走，那些文字也渐渐变淡，好像雾气一样从我手心里完全消散了。它们从我手上漂走了，那些文字和故事本身一起回归了它们来时的地方。

但是那本书呢？那本书在沼泽的哪里？

"这些文字原来都是书上的吗？"老人问。

我似乎听见了虚无缥缈的歌声，有人在唱歌，歌声萦绕耳边，仿佛她就在你耳边吐露气息，却又像是远在你永远都到达不了的地方。

"在那里。"女儿说。

我抬起头，远远看见沼泽中心的小岛。有个女人弯曲着双腿坐在小岛边的礁石上，唱着一首关于爱和分离的歌曲。过了一会儿她悄无声息地滑进水里，我才发觉她的下半身是一条修长的鱼尾，鱼尾上的每片鱼鳞都在闪光。

人鱼微微甩动着尾巴，尾巴划开了水面，她向我们游了过来。游到离岸边有一点距离的地方后她停了下来，在水面上直起上身，似乎在打量我们。我看不清她的长相，她的五官显得模糊，皮肤像纸一样

白。她轻声哼唱，忧伤，甜美，无法抗拒。她向我们伸出手。

想找到那本书吗？那就到我这里来吧，来吧，只要你走进来……走进沼泽里……走到我身边……

我听着她的歌唱，完全没有意识到自己的脚步在往她那里移动，我正在走向她，走向书的坟墓。

就在这时，女儿从旁边撞了我一下，她大叫了一声。

"爸爸！"

我这才发觉自己的右脚已经踏到水里，连忙往后退。可是已经晚了，水面下有什么东西拽住了我，想把我拽进沼泽的泥浆里。

是白色的手，许多只白色的手伸出了水面，不但抓向我和老人，也正在抓向我的女儿。我用力甩掉了脚上的一只手。那只手被拉断了，发出纸张撕裂的声响。断口处露出一层层的白纸。

欺骗！背叛！

那条人鱼发出凄厉的声音。她的脸一层层地脱落，一张又一张的书页落了下来。水塘开始沸腾，气泡在泥浆里翻滚，成千上万本书的残骸从沼泽内部涌出，浮在水塘表面。封面残缺，纸张朽坏，死掉的故事无处可去，跟随着书本的尸体在黑暗里腐坏。它们在翻开自己，像是有人在翻阅它们一样，书页脱离了装帧，一层层地卷在一起，卷成了许多巨大的怪物。

人鱼伸出了手臂，它的手变成了两条白色巨蟒，巨蟒跃出水面，缠住了老人的腿。老人被拖倒在地，我赶紧按住巨蟒的头。女儿手上的蜡烛逼退了蟒蛇的第一次攻击，蟒蛇头部被点着了，带着火苗缩进了水里。但是它们很快就复原过来，更多的纸张覆盖在一起，这次我被卷住了，蟒蛇把我拖进沼泽里，泥浆一下子淹没到我的大腿。

我挣扎着抓住岸边的草茎。老先生的情况和我差不多，也被拽了下来。只有女儿还在岸上，她手上的蜡烛已经被蟒蛇打掉了，蛇尾卷住了她的腰。她用力抱着岸边的一棵树。树干上有野兽留下的五条爪印。

"小熊！"她大叫起来，"救救我们！"

一个巨大的黑影撞出了丛林，随着一声可怕的嗥叫，缠住女儿的蟒蛇忽然断裂开来，纸片到处飞舞。棕熊狰狞地张嘴咆哮，脚下踩着蟒蛇的尸身。

更多的蟒蛇从水里窜出来，棕熊直起身子，一掌就拍碎了巨蟒的脑壳，把它们变成一堆碎纸。有条蟒蛇想偷袭女孩，被熊张口咬住，断成两截。

怪物们的注意力被引开了，老人趁机抓住我的手腕，将我拖出了泥沼。我喘着气坐在岸边。女儿跑到我身边。我们看着守护熊为保护我们而战斗。

它在和那些书里钻出来的怪兽搏杀。有的书页卷成了九头龙，有的书页聚集成尼罗鳄，人鱼的长发都卷成了一条条的白蛇。满头的蛇发都在向守护熊挑衅。

棕熊踩住爬上岸边的鳄鱼的脖子，抓住鳄鱼的上下颚扯成两半。九头龙伺机卷住它的脖子，棕熊撕破了周围的龙颈，在新的龙头还没有长出来前咬断了最后一个龙的咽喉。蛇发女妖尖叫着扑了上来。守护熊轻蔑地望了它一眼，一巴掌扇在女妖的脸上。

搏斗很快就停止了。蛇发女妖的脑袋离开了身体，在空中飞了一段距离，落到了水里，散成了湿漉漉的纸片。它的身体沉入沼泽，两只手在水面上扭动挣扎了一会儿，随着一串气泡腾起，两只手臂最终也被泥浆吞没了。剩下一些小怪物胆怯地钻进了水里，变回了书上的纸张，漂浮的书籍渐渐沉了下去。

有两三本破烂不堪的书游向了岸边，它们迟缓地扇动着封面和封底，好像鱼游动鱼鳍，鸟扇动翅膀一样。守护熊低头看了看，抬起前掌，打算消灭它们。

"等……等一下。"我说。

"怎么了？"老先生问。

我低头盯着这几本书看了一会儿。封面的图案看不清楚了，里面的内页已经开始脱落，可我还是可以认出它们。

"它们是……我的书……"

"你的书？"

"我说过，我是个职业小说家，"我说，"……这几本书就是我写的。"

女儿蹲下来看着那三本书。三本破旧的书好像流落街头的动物，在水里慢慢扇动页面。当女儿想捞起来最前面一本，它们好像因为自卑而害怕，一下子都游开了，停在不远处的水洼里。女儿望了一会儿，站了起来。

"它们好像是叫我们跟着它们。"她说。

　　我的书在叫我过去。可是我不知道这是不是陷阱。

　　"它们是你写的，如果你写的时候内心真诚，那它们也没有理由来欺骗你。"老先生拍了拍我的背，"你应该相信你的书。毕竟它们可以算是你的孩子。"

　　我望向那几本书，想起来当初写作它们时的许多个不眠之夜。

　　"别担心，我们一起跟过去好了。"老先生说，"就让你的书带我们通过这片沼泽。"

　　这次，就连守护熊也点了点头。

　　我先踏进了水塘，向那三本书的方向走去，脚踩的地方不是坚实的土地，感觉绵软，就像踩在很多旧报纸上一样，不过确实没有陷进泥沼。水没过了膝盖，对一个小女孩来说深了点，我又折回去背起女儿。老先生和守护熊也依次走进水里。

　　那几本书等我们靠近，然后慢慢向前游动，游一会儿，就停下来等着我们。在水里跋涉比想象中吃力，尽管女儿很轻。走到一半时，守护熊挨过来替换了我。女儿骑坐在棕熊的背上。我和老人家走在旁边。

　　月亮渐渐爬到了头顶，四下一片寂静，只有我们在水洼里移动脚步的声音。三本书弯弯折折地带领我们在沼泽里前行。我们抵达了沼泽中心的一小块陆地。它们在岸边停下，好像是说已经完成了使命，到达了目的地。

　　我最后一个走上岸。我很想谢谢它们，不只是因为它们给我带路。虽然是我创作了它们，可是在已经过去的生活里，有很长一段时间，只有它们陪伴着我。我回过头，看见它们渐渐沉入水里，就跟其他所有的书一样。我忽然觉得很难过。

女儿从熊背上爬下来。

"谢谢……谢谢你们。"

她对它们说，然后握住我的手。

岛上有一座孤零零的石头房子，看上去有点像宫殿，有图书馆这么大。我们走到门口，看见门上写着一行字。

所有的书和唯一的书。

门可能已经封死了，无论怎么推都推不开。棕熊正想举起熊掌把门拍碎，女儿揪住它的耳朵让它住手。

"等一下，看门上的字。"她指着大门说。

门上原先写的是"所有的书和唯一的书"，现在却变成了"每本书都是一个谜语，只有阅读了才知道答案"。

"是让我们猜谜吗？"老人说，"猜对了才可以进去？"

门上的字又改变了。

"第一个问题请粗鲁的熊回答，因为它最没有耐心。有一个男人一半是人一半是熊，他在故事里杀死了他的未婚妻，他是……"

棕熊哼了一声。

门上显示了谜底——《熊人洛奇》。

"第二个问题请年纪最大的人回答，尊老爱幼是美德。小说《老人与海》里最后赢的是谁？老人，大海，鲨鱼，还是那条只剩下骨头的大鱼？"

老先生想了想，敲了一下门，提示选择第一个答案。我也觉得是这个答案。

但是门给出了别的答案——没有人赢。欧内斯特自杀于1961年。

"第三个问题请可爱的女孩……"

不知道为什么，门上的字没有继续显示出来，而是直接跳到了第四个问题。女儿和我互相看了看。

"第四个问题请作家先生回答。有一本书，它是所有的书里最特殊的一本，它是唯一的，一个人一生只能拥有一次的书。请问它是哪本书？"

我想了好一会儿，可是想不出答案，从来没读过，也从来没听说过有这本书。

"我不知道。"我摇头苦笑，"我想我正在寻找这本书，你应该让我进去找到它。"

门沉默了一会儿。

"如你所愿。"一行字渐渐浮现出来，"要记住，这本书的故事里，有你所爱的人的线索。但愿你能找到它。"

大门响了一声，打开了。

我们三个人和一头熊就这样从开启的大门处走了进去，宫殿一样的图书馆里空空如也，一排排的书架上只有厚厚的灰尘，许多蜘蛛网连接在书架和书架之间。原来以为里面有成千上万的藏书，想找到那唯一的一本书是件不太容易的事情，可是实际上，从进门的地方开始，一条残破的地毯直接通往了房间里，似乎告诉我们想要找的东西就在路的尽头。于是我们沿着地毯走到了图书馆最里面，那里有一面墙。墙上的蛛网挂满尘埃。

我蒙起口鼻，拽掉那些沉甸甸的蛛网，墙壁露出了本来的面貌。那不是墙壁，是一面镜子。镜子里可以看见我茫然不解的镜像。可是我却没有在镜子里看见老先生和女儿，连身体巨大的守护熊都没有出现在镜子里。而他们明明就在我身后。

我疑惑地用手擦了擦镜子。却碰到了镜子前的一个盒子，好像是一个珠宝箱，外壳也是银色的，我刚才差点没注意到。

"这里有个盒子。"老人说。

盒子大小正好可以装进一本书，我想要找的那本书就在里面。外表没有蒙上多少灰，好像有人擦过。我于是打开了盒盖。

盒子里铺着一层天鹅绒，然而却是空的。

有人拿走了那本书。

女儿抬头看了看我，我觉得她想说什么，可是她最终没有说。

为了防止疏漏，我们在房间里又找了一遍，除了灰尘外，别无所得。

"我想那本书不在这里了。"老先生说，"我们还是先回去吧，回去再想办法。"

就在这时，感觉地面开始震动起来，书架上的蛛网都被抖搂下来。我们连忙退出房间。我们退出去后，图书馆的大门就紧紧地关闭了起来。

沼泽的水面都在颤动，我们沿着来时的路径回到对岸。水面上所有的书都消失了，就连我的书也是同样。地面在震动，有什么东西试图从沼泽里出来。我们退到岸上，看见水面上的字聚集到了一起，水面出现黑暗的漩涡，那些死去书籍的文字在漩涡里连接在一起，文字组成单词，单词变成句子，句子形成段落，段落结合成章节。

故事创造出形体。

黑骑兵策马从黑暗中一跃而出。

黑骑兵骑着马跳到了岸上，松开缰绳，对着我们冲刺过来。黑马喷着吐着白色鼻息，马蹄飞在空中，马蹄铁仿佛巨大的铁锤，向我们踩踏过来。

守护熊咆哮着直立起来。黑骑兵拔出长刀，从空中砍下。

什么东西撞击了一下。守护熊低吼了一声。

马匹跃过了它，跳到了另一边，

一柄闪着寒光的长刀从空中掉了下来，插在了地上，刀刃上滴着血。

"你们快走。"守护熊凶狠地咬着牙说，"我来挡住他。"

"小熊……"女儿叫了起来。

它的右掌被砍断了，从腕部这里被切了下来。

黑骑兵勒转马头，从背后抽出第二把马刀，预备第二次冲锋。

"听着，我们都有自己必须做的事情，"棕熊说，"让我们把自己该做的事做完。"

女儿吓得坐在了地上，眼睛里含着泪水。我拔出插在地上的黑骑兵的马刀，刚想说什么，老先生一把抓住了我的手臂，对我摇了摇头。

"我们最好还是听它的，"他说，"我们去完成我们的事。"

老先生把女儿抱了起来，在棕熊的掩护下跑入森林里。我跟着跑了过去。最后一瞬间，我看见黑骑兵发起了第二次冲锋。黑马全力冲刺。棕熊咆哮着直立起来，为守护我们而战。

我和老先生跑向森林深处，渐渐远离熊的怒吼和战马的嘶鸣。女儿趴在老人肩膀上啜泣，直到背后的那些声音都听不到了，我们才放慢了奔逃的脚步。

"放我下来……"

"你自己能走吗？"老人问。

她点了点头，自己下来了。接下来一段路，她都没有说话。我想说句安慰的话，可是终究想不出合适的，就这样三个人一直走到树塔下面。

我们回到囚禁精灵的地方。我虽然没有找到那本书，但是却捡到了黑骑兵的刀。精灵少女看见我手上的长刀，害怕地缩在角落里。

"不，不，别靠近我……求求你……"

我没有跟她解释，举起刀直接砍了下去。和之前猜想的一样，长刀砍断了银色的锁链。老先生帮助去除了她手脚上的锁链，锁链一旦拿掉，湖精灵也就恢复了自由。不过因为被关的时间太久，她很难自己走路离开这个地方。

我背起她。她的双足刚离开地面，树塔的枝叶就开始枯黄了，硕大的叶片一片片从树塔离开了树枝，从天上飘到地面，连藤蔓都开始干枯萎缩，把我们送到地面后，它看起来就和冬天枯死的爬山虎没有任何区别。

"请带我回家……"精灵说。

我想她指的是那片湖泊，那片被女儿称为湖精灵的湖泊。那里是她的家。她从那里而来。我呢？我的家又在哪里？

森林里静谧清冷，湖精灵的身体冷如冬天的湖水。我的裤子在沼泽地里已经湿透，沾满了泥浆。牙齿开始打颤，跟喝了太多冰水似的，太阳穴的神经抽搐个不停，又走了一会儿后，我开始头疼，眼前一阵阵发黑，我极力忍耐，感觉女儿和老人都在扶着我的手臂，告诉我应该往哪边走。我几乎闭起了眼睛，完全听从他们的向导，这样走了不知多久，我坚持不住了，摔倒在地上，连背上的少女都摔了出去。

"爸爸，你没事吗？"

女儿跑过来扶起我。

"我没事。"我说，"我们到哪儿了？还要走多久？"

"我们已经到了。"

我看见了湖水，即使在夜晚也显得清澈光亮的湖面。湖精灵坐在湖边的浅水里。刚才摔倒时，我已经把她摔掉进湖中。她全身如同湖水一般在闪光，面容柔和恬静。

"谢谢……谢谢你们带我回来。"

她望向我们三个人，从老人看起，然后是女儿，最后她看着我，从水里抬起双手，带出了一串水珠。双手碰在我脸上。

"谢谢你。"她说，"现在你告诉我，你的愿望是什么？"

我沉默了很长时间。水从她的手指上滴下来，滴在我的肩膀上。

"你有什么希望实现的愿望？"她问，"有什么愿望想要我帮你实现？现在你可以说了。"

"说吧。"老先生说，"你就说一个愿望吧。"

"爸爸，"女儿轻声说，"你可以说出你的愿望。你真正想要实现的愿望。"

我闭上眼睛，不敢看他们。我现在只有一个念头。这就是我为什么想办法要救出精灵。我要实现我内心的一个愿望。很久以前我做过相同的决定，很久以前。

"我想离开这里。"我说，"我不想再待在这里了。请你让我离开。我想回家。"

湖精灵看着我。

"这就是你的愿望吗？"她问。

"是的。"我说。

"如果这是你的愿望，如果这是你掉落的斧头，那么它终究会实现的。你的愿望很快就会实现。"

大颗的泪珠从精灵的眼睛里涌了出来。她的身体正在变成水波，她逐渐和湖水融合在一起，然后她就失去了形体，消失在了湖水中，只是在原先停留的地方留下了一圈涟漪。

"你的愿望就是这个了吗？"老人叹息说，"你就只是想离开这里？"

我低头，找不到一句辩解的话。背后的灌木丛传来沙沙的声响。

"是小熊……"

女儿先看见了，跑了过去。

棕熊还没走近我们就倒在了地上，它的右眼好像被刺瞎了，胸口有几处严重的伤口，伏在地面，呼吸粗重，嘴角都是白沫。

"我打退了他……只是暂时……"棕熊说，"他可能很快就会过来……"

女儿搂着守护熊的脖子，擦着眼泪。

"你们快带她走……"棕熊看着我说，"黑骑兵的目标不是别人，是她……他已经知道了……"

"他知道了什么？"

可是棕熊没有回答。它轻轻用脑袋蹭了蹭女儿，闭上了眼睛。

已经隐约能听见急促的马蹄声。黑骑兵应该已经发现我们放走了湖精灵，他很快就会来追赶我们。

"你们快点走，我留下来照顾它。"老人说。

"你说什么？"我问。

"黑骑兵不会对我这个老年人怎么样，他要抓的人不是我，"老人说，"她是你的女儿，所以你必须保护她。"

"可是我……"

"已经没有时间了，你快带她回屋子里，只要回到家，她应该就安全了。"老人说，"只要坚持到天亮，黑骑兵就会离开。到那时，你再想去哪里是你的自由，哪怕永远离开这里都行。"

然而女儿说什么都不肯离开受伤的守护熊，固执得让我恼火。

"我不会有事的……"棕熊说，"我来自于别的故事……你们迟早会在故事里再看见我。"

我好不容易拉起了她，拖着她往家的方向跑。

马蹄声越来越近了。许多夜鸟被惊起，盘旋在森林上空。我拉住她的手，穿梭在树木间。

"黑骑兵他为什么要抓你呢？"我问，"明明是我放走了湖精灵啊……"

女儿闷声不响。

"他知道了什么？你到底做了什么？"

女儿还是没有说话，忽然，我一下子明白过来。她很早就知道这件事，她知道沼泽地，当然也知道沼泽里的那本书。她很早就拿到了那本书。是她偷走了黑骑兵的书。

"你偷走了那本书，是不是？"我抓紧她的手，"是你！"

她的脸都白了，眉头皱在一起。我想我握疼了她。

"那本书……"

"什么？"

"那本书……是我爸爸的书，所以我才拿走它。"

"你说什么？"我问，"那本书现在在哪里？"

"那本书是空白的，里面没有一个字……"女儿颤抖着小声说，"我把它给你了，你可以用它来写东西……"

"你会写、写故事，不是吗？"女孩结巴了一下，"你写、写下来，写在上面，它就是一本书了。"

"为什么要把书给我？"我压住火气，问，"因为你觉得我会写故事？"

158

"那本书上的故事里，有你所爱的人的线索。所以我觉得我的妈妈，就在你读给我的故事里……"

"我不是你的爸爸！"我大声对她吼，"我早就说过了，我不是你的爸爸，我从来没有见过你，我从来就不认识你！"

"可是……你说我可以叫你爸爸……"

"那只是安慰你的。你还没明白吗？那是假的！我从来就没想要过孩子。"我说，"要知道，我是个职业小说家，我的职业是编造故事。我擅长撒谎。"

她脸色苍白，惊惶地看着我，甚至都忘记了逃跑。我觉得她又快要哭了。但是她只是低下了头。马蹄声越来越接近我们，黑骑兵已经追上来了。我用力拉了女孩一下，她机械地跑了起来。我听见她低声在说着什么。

"是的……"她低声说，"你不是我爸爸……"

马蹄声追到了我们背后，这时我们跑出了森林，小镇近在眼前。跑到院子前面，我回过头，已经可以看见那匹黑马正向我们这里飞奔过来。

我拉着女孩躲进屋子里，踩楼梯上到二楼，让她躲进她的卧室。然后我回到自己房间，关上门，从窗帘后面监视外面的情况。

黑马几步就跨到了屋子这里，它放缓了步伐，在花园前来回巡视，我看见黑骑兵坐在马上，扬起戴着银面具的脸，搜索二楼的窗口。我和他的视线撞在了一起。他盯着我房间的窗口，冰冷的目光穿过了窗帘，看见了站在窗帘后面的我。

黑骑兵骗腿下马，在院子里站了一会儿，然后走了几步，走上了房子的台阶，我听见楼下房门吱呀一声被打开了，皮靴踩在客厅的木地板上。有人在楼下走动，脚步沉重。

走动了一会儿后，皮靴踏上了上楼的楼梯，一步，两步，缓慢而致命。他走了二十级楼梯，从一楼走到了二楼。我感觉他就站在我房间的门口，好像马上就要破门而入。

但他停下了。皮靴的声音转向另一个房间。

他打开了另一个房间的门。

什么东西摔倒在地。一个孩子在屋子里慌乱地跑。尖叫。声音逃到了走廊上。

我房间的门猛地打开了。女孩出现在门口。她刚想躲进来，头发却被后面的人抓住了。

黑骑兵抓着她的头发把她扔在地上。女孩哭着往前爬。但他马上弯腰抓住了她的右脚踝，好像倒提着一只小狗。黑骑兵把她往走廊上拖。

女孩抬起眼睛看着我，眼睛里满是求饶和惊惧。

"爸爸……"她哭着说，"救救我……爸爸！"

可是我就是身体僵硬动不了，只是看着她。

她拼命抓地板，指甲在地板上划出尖厉刺耳的声音。但最后还是被拖了出去。黑骑兵一路拖她下楼。尖叫声一直到院子里。

我从窗口看见黑骑兵把女孩扔在马背上。他骑上马以后，抬头直视我，往地上吐了口唾沫，银面具毫无表情。

然后他甩动马鞭驱使坐骑，带着女孩向黑暗狂奔而去。

黑骑兵走了以后，我坐到椅子上，浑身因为羞耻而发抖。我到底做了什么？就连不敢以真面目见人的黑骑兵都在羞辱我的懦弱。我连反抗的勇气都没有，就这么让他抓走了女孩。

那个把我看成她爸爸的女孩。

黑骑兵残酷地拖走了她，接下来会把女孩带到哪里去，会怎么对待她，根本无法想象。可是我就要离开这个地方了不是吗？我已经许下了那个胆怯的愿望，我想离开这里，我说。为什么我就不能把一切都抛开？假装从来没有来过这里，假装什么事都没有发生，假装我从来没有见过那个叫我爸爸的女孩？

木地板上还残留着她指甲刨出的许多条抓痕。如果我连这个都可以假装看不见，那我就没有任何可以在乎的东西了。

我要去救你。就让我以你爸爸的身份做这最后一件事。我要去救你回来。

我跳起来冲出房间，从楼梯上撞了下去，冲到院子里。黑骑兵留下的马蹄印正在消失，可是我还有时间，我要赶在它消失之前追上他，不管他要把我的女儿带去哪里，我都要找到他。

我跑入森林，一路追寻黑骑兵留下的枯萎痕迹，夜幕正在缓慢变白，地面的一切渐渐可以看见，可是那条痕迹却在晨光下渐渐消失，我只能拼尽全力往前奔跑，争取赶在晨光把它完全覆盖之前。我跑得快虚脱了，身上衣服都被汗水粘在一起，嘴巴里都是苦涩的咸味。

　　可是就算是这样，那条痕迹还是在我眼前逐渐湮灭掉了，晨光无情地掩盖了它。现在我不知道它去哪里了，我还在往前奔跑，腿上的每条肌肉都在抽动，已经快到极限。忽然它支撑不住身体的重量，我被树根绊倒，连滚带爬地摔到地上。我大叫起来，叫黑骑兵的名字，叫我的女儿，可是谁都没有理我。

　　晨光照到了我身上。现在森林里没有黑骑兵，也没有他带走的小女孩，现在这里只剩下我一个人。

　　我以为自己迷路了，但是很快就发觉这里我曾经来过。我和女儿散步的时候来过这里。她把掉下来的牙齿和一个冻僵的小鸟埋在了一起。现在我就在这个小小的坟冢前面。土堆上甚至开出了一朵月白色的小野花。

　　不，一切还没有结束，还没到认输的时候。我挣扎着从地上爬起来，右腿好像不是我的了。但是没关系，我可以拖着它走路。还有愿望，我还有愿望可以实现。

　　我拖着右腿往湖边走，越走越觉得悲伤，我好像刚刚意识到我又变成孤孤单单的一个人了，就和长久以来经历的生活一样。可是现在我已经习惯有女儿在身边了。有时她会让我背她，有时会把头靠在我的肩膀上。我刚刚习惯这些，刚刚习惯让别人来依赖我，现在这一切就要被夺走了。

　　而这一切都是我自己造成的。

　　我走到了湖边，没有看见老先生和守护熊，这是理所当然的，他们都已经抛弃我。现在这个世界只有我孑然一身。我爬上那个伸入水中的树干，在湖水中看见自己的倒影。

我想收回那个愿望。我不要离开。我要我的女儿，请把我的女儿还给我。

湖水平静如初。没有人回答我。

我错了，那是个错误的愿望。是我掉错了斧头。就请实现我最后一个愿望吧。请把她真正的爸爸还给她。

我闭上眼睛，扑到了水里。冰凉的湖水一下子把我包裹起来。

我以为自己会这样死掉，但水波却把我推回岸边。我浑身湿漉漉地坐在岸边的浅滩上，内心像是被抽空了一样空白。

我不知道是怎么走回的家，仿佛有另一个人在控制着这个空荡荡的躯壳。回到自己的房间，坐回椅子上，面前是那本黑色封面的书，一本还没写完的书。我觉得自己再也写不完它了。我不知道该怎么去写它。

这本书是女儿送给我的。她希望我在上面写一个故事。

我希望这是一个关于爱的故事。女儿说。

忽然，我的心脏像是再次跳动了起来，我感觉许多闪光的句子在脑海里跳动。我不知道这一切是怎么回事。可是，故事就在这一刻回来了——就在你觉得失去一切以后，你却发现，你还可以写作。最后只有写作永远不会离开你。

我翻开了面前的这本书，在上面继续书写故事。

我写给女儿的故事。

第七章　外婆

没有什么事比睡觉更重要的了，一旦睁开眼睛，心里那种冰凉的东西就好像要涌上喉咙。这种感觉在清醒时分外强烈。

　　他们的恋情一直没有被发现简直可以说是奇迹。命运仿佛特别眷顾他们，尽量创造了两人在一起的机会。也许只是因为他们还只能算是两个孩子，没有什么人会对两个孩子有戒心，尤其是其中一个什么都看不见，连过马路都需要他人的帮助。

　　他们不是每天都能见到。两人的学校分隔在城市的两端，在刚开始的那段时间，每一天几乎都是在等待中度过。等待着见面，等待着手指碰触到对方，等待着那份拥抱和亲吻，等待耳边的气息，只希望能够常常相伴，就算不做任何事，不说一句话。

　　读书一直是个很好的借口，虽然书房里可以阅读的书已经为数不多。在外面时，她仍然做出是他的姐姐的样子，有时在一起行走时，甚至刻意和他保持距离，走到四下无人的僻静小路上，才会拉起他的手。手心甚至还会微微颤抖，好像随时担心会被人看见，一旦听见有什么动静，她就跟受了惊的小鹿一样从他手里逃出来。

　　她的父母总是尽量满足女儿的心意，希望女儿心情能好一些。她的妈妈因为工作变动，经常会晚回家，而她的爸爸有段时间去了外地出差。这段时间对他们来说弥足珍贵。他抚摸她的头发和耳朵，她则在他耳朵边叫他小狗。这个亲密的称呼只属于她一个人。赫连小狗，她这么叫他。他觉得自己真的变成了她的导盲犬。他愿意一直在她身旁。

亲吻是永远无法满足的嬉戏，即使嘴唇因为长时间的亲吻而发肿，仍然无法停下。他们在书房的沙发上，或者在她的卧室的床上拥在一起。他抱起她，把她放在床上。她轻声唱一首王菲的歌，在他面前梳理长发。窗外有小鸟的鸣声，阳光穿过窗户，落在她的额头上，他们面对面躺在一起，彼此看着对方的眼睛。在那时，她好像也能看见他。他吻了下她的鼻尖，然后她就闭上了眼睛。

"守护熊的故事。"她问，"还有吗？"

那是赫连写的第一个故事。在读了这么多的小说以后，也许只是为了哄她开心，他把这个故事夹杂在许多作家的书后面念给她听，可是没过多久就被她发觉了，她疑惑地问这个故事的作者是谁。后来他只好承认这是他写的，就在那个暑假，她不在的时候，他写了这么一个故事。

"是因为写得太差了，是吗？所以你听出来了。"

"我能够听出来，不是觉得不好听，而是因为我喜欢它。"她说，"它让我想到了你。故事里能感觉到你。"

这个故事是讲一个小女孩在森林里捡到了一只被遗弃的小熊，后来小熊变成了女孩的守护者，在她遇到了危险后保护了她。故事里守护熊的形象参考了舒玥的玩具熊，情节则穿插了魔法、森林以及黑夜的冒险。

舒玥很喜欢这个故事，听过后不久，在赫连和他们一家吃饭时，告诉了她的爸爸。舒爸爸评价说这是个有趣的构思。

"赫连还写了其他的很多故事。"舒玥说，"爸爸你也应该看一看。"

"你真的写了很多故事？"舒爸爸有点漫不经心地问，"你想写一本书吗？"

"要怎么才能……写书？"他问，"当一个写书的人？"

"你是指以写书为职业，当作家吗？"

舒爸爸有点惊讶，放下报纸，看了看他。

"如果你问我其他的，比如当工程师，或者做警察什么的，我可以告诉你只要考上专门的学校，掌握专业知识，符合条件就可以了。可是我不知道怎么才能当一个作家，我身边没有人是做这个的。"

他想了想，又说：

"我认识几个人在报纸杂志做编辑或者记者，可是那和你说的写书不能算是一回事。我是说写书……更困难一点。"

"是要会写故事吗？"

"那只是一方面，需要很多东西，必须对生活有自己的看法，充足的准备，首要一点是你必须有这样的才华，而且还要有运气。可是谁也不知道这种才华到底是怎么一回事，仅仅靠语文课上作文写得好是看不出来的。是有很多作家从小就有语言方面的天赋，可是更多有语言天赋的人根本无法成为作家，不管他的作文有多么出色。你的语文成绩好吗？"

"不好。"他老实说，"作文常常不及格。"

"就跟巴尔扎克一样。除了他自己，没人相信他能够成功。可是他偏偏真的是一个天才。"舒爸爸说，"你怎么想起来问这个的？"

"只是……想问一问。"他低头说。

"我还以为你是想当作家，所以才问这个。其实喜欢一件事情，不一定要真的自己去做，就好像玥玥喜欢音乐，也不一定要自己成为钢琴家，听别人的演奏也是一件很享受的事情。"

"如果我不希望只听别人弹，自己也想成为弹钢琴的人呢？"舒玥问。

"可以把它当成爱好，就像你现在这样。"

"但是，如果我真的有这个能力，真的有可能当一个音乐家呢？爸爸你难道真的不支持我去尝试一下吗？"

"他怎么会不支持你？"舒妈妈笑着说，"你从小到大想做什么，你爸爸不都是对你百依百顺的？连我都快要嫉妒了。"

"妈妈，我不是说我。"她说，"我的意思是说如果赫连能够写故事，也许他真的可以当一个写书的人，成为一个作家，是不是？有一天，他的书也会出现在我们家的书房里，有很多人会读他写的故事，那不是很让人开心吗？"

舒爸爸抬头看了看女儿，不易察觉地皱了下眉，看了看赫连。

"那的确是很让人开心的事。"

但是晚饭以后，赫连要回家时，舒爸爸却叫住了他，单独和他谈了几句。

"赫连，就算我知道你写故事真的写的非常好，我也不希望你以后当作家。"

他觉得很意外，抬起头看见舒爸爸正在望着他。

"一个人有梦想是件好事。我不是在阻止你做什么，也不是劝你应该实际一点，老老实实做一个稳当的行业。我只是觉得写书并不是一个好职业。这个工作需要你投入太多的东西，时间，金钱，劳动，可是你获得的东西可能很少，甚至什么都得不到。你不知道它到底值不值得付出这么多。我自己只是喜欢看书，没有写过什么。不过我知道真正的写作非常考验一个人的意志，这种考验通常是种折磨。"

舒爸爸说：

"你已经看过很多书，肯定多少知道一些作家的人生经历。他们中大部分人在生活中都谈不上幸福，始终挣扎在某些痛苦中。海明威是自杀的，莫泊桑死在精神病院，老舍先生投湖自尽，曹雪芹一生贫困潦倒。生活对于他们是艰难的，也许只有这样，他们才能写出好的作品。就好像那个寓言，要想描绘地狱，画家就必须见识真正的地狱。所有伟大的作品都诞生于苦难。对于读者这是件好事，可是对于作者来说，这非常的不公平。"

赫连没有说话。

"你想想看，如果你决定要走这条路，那以后多少也会经历这些，不论你最后成功还是不成功。相比写书，成为作家，我觉得还是普通人的生活更好，有份普通的工作，一个完整的家庭。你知道，我是看着你和玥玥长大的，有时候我把你看成自己的孩子。所以现在我才对你这么说。"

他过了会儿才点点头。舒爸爸拍拍他的肩膀。

"你早点回家吧，注意别耽误功课。你外婆年纪大了，你要多照顾她一点。"

　　虽然舒爸爸跟他这么说了，可是赫连仍然觉得把故事写在本子上要比枯燥的学习有意思得多，只有舒玥知道他还在写那些故事。故事始终需要读者。一个懂得欣赏的读者就好比一个钟情的女孩一样难以寻觅，他是那样幸运，一下子两个都获得了。赫连把学校里遇到的有趣的事都告诉她，篮球场上争风吃醋的男孩，腼腆漂亮的大学生实习老师，为高考的录取率头疼的班主任，这样他们两人就好像在一起上学。在他的同龄人还在经历苦闷的青春期时，他却已经有了一个秘密的恋人。

　　他和舒玥第一次做爱是在高一的暑假，在他的阁楼上。家里没有人，安静得像是森林里的木屋。他们接吻了很久，相互触摸对方。之前他们还从来没有这样亲密过，他因为自己的勃起而尴尬，她用手触碰到，却不知道接下来该怎么办。互相交融的欲望是那么强烈，充满好奇。她的缓慢亲吻更像是代替眼睛的一种感知方式。当他进入她体内时，感觉到了她的紧张和害怕。他有点不知道怎么安慰她，因为他自己也是同样。没过多久一切就结束了。可是当结束后他们拥抱在一起时，她一直伏在他胸口，他发现她在小声抽泣。

　　"你很难过吗？"

　　"不是的，小狗。不是难过。我只是有点害怕。"

　　"害怕什么？"

　　"我觉得有一天你会离开，去别的地方。我会再也看不见你。"

"我会去哪里呢？我的家在这里，你也在这里。"

"你以后会考大学，然后可以选择做你喜欢做的事，可是你知道的，我是个瞎子。"她说，"我都不知道我以后能干什么，爸爸妈妈说会一直养着我，只要我想，他们就会一直照顾我。可是我不想这样，我也想有自己的生活，我也想有一天能睁开眼睛看看这个世界。可是我根本做不到。有时候我真的很害怕。"

他不能理解她的想法，只能安慰她说会一直陪在她身边。

"好啦，没什么的，你别担心我了。"她亲了他一下，"你还在写东西吗？"

"有时候。"

"我记得听爸爸讲过杰克·伦敦的故事。"她说，"我觉得你总有一天会真的写出一本书的。如果到那个时候，你还是会把你写的故事读给我听吗？"

"会的。"他说。

因为事先没有做好防护措施，起先他们担心怀孕的事，几个月后才放下心来。他们总是很小心地亲热，有时是在他的阁楼，有时是在她的卧室。舒妈妈可能发现了一点端倪，有次端茶点到舒玥的房间，看见两个孩子脸上都红扑扑的，所以后来他们就更加小心了。

他的外婆也许也知道他们的事，因为有一天她忽然对他说，你们两个以后该怎么办呢？他假装没听明白外婆在说什么。外婆那时已经患上了老年痴呆，很快就忘了他的事。

外婆确诊癌症是在他高二快结束的时候。在别人家里帮工时犯了急性胰腺炎，住进了纺织厂的附属医院，在治疗胰腺炎期间，医生发现了淋巴结的肿块，切片检查以后确诊为淋巴肿瘤。他作为唯一的亲属被告知了病情，木木地听了医生的交代，却还不了解情况有多严重。

"最好不要让你外婆知道。"医生说。

他默默地点头。

就是在这次胰腺炎抢救的过程中，也许是用药剂量过大的后遗症，外婆的头脑开始不清楚起来，好像患上了老年痴呆一样，对于刚刚发生的事情转瞬即忘，却对很久前的事记忆犹新。在刚开始那段时间，她都不认识赫连了，问他是谁家的孩子。

"外婆，我是赫连。"他反复说，"我是你的外孙，我妈妈是你的亲生女儿。"

"你妈妈呢？我怎么没看见你妈妈？你不要骗我了。"

舒玥去看望她的时候，她把舒玥当成了赫连的妈妈，而且发现女儿的眼睛失明了，就难过地一直流眼泪。这样一来舒玥也很难受。

"我是玥玥。我不是赫连的妈妈。赫连真的是你的外孙。"

舒玥这么告诉外婆。外婆却问她跟谁生了这么一个小孩。她拉着舒玥的手，絮絮叨叨说了很多过去的事，赫连也是第一次听外婆说了这么多他妈妈的事情。他的妈妈也曾经和舒玥一样是个安静的女孩，喜欢吃糖和跳皮筋，离开家插队去北方时还不到二十岁，所以她怎么可能生下个孩子呢？她自己都还只是个小女孩。

直到胰腺炎好了出院后，外婆才重新认出了赫连。她定期去医院接受化疗，本身不太识字，病历上医生的诊断书又很潦草，一直以为每周去医院是因为胰腺炎的复诊。她的头脑再也没有恢复到以前那样。她记不住任何事情，哪怕是在煤气灶上烧壶水一转身就忘得一干二净，要不是邻居发现了，有两次差点酿成火灾，赫连再也不敢让她接近厨房，简单的饭菜他会做，加上周围邻居会做多些小菜留给他们，平时两个人不至于饿肚子。

但老人不能一个人出门。生病以后，她无法再跟以前那样去别人家里帮工，每天就一个人在家里，到了赫连放学时，她迷茫地到路口等他回家。就这么一点路她都会忘记回去怎么走，好几次都走丢了，最晚一次，他在附近几条马路上找了半夜，才在派出所里找到了她。外婆大概觉得给他添了麻烦，所以这次以后就不大出门了，最多自己走到弄堂口，有弄堂的邻居在，至少能带她回家。

每隔一个多星期，到化疗的日子，赫连只能从学校请假一天陪外婆去医院。坐车到化疗的医院要一个多小时，去了还要挂号排队，病号多到根本没有空床位可以吊药水，连走廊里都摆满了躺椅。就算躺到躺椅上开始吊药瓶也不能掉以轻心，化疗的药物有很强的腐蚀性，如果针头扎歪了，滴到皮肤上会导致皮肤溃烂。就算他一直陪在旁边看护，老人的手背还是烂了几大块，就跟冻疮腐烂一样，他不忍心看，坐在一边的板凳上闷头读课本。化疗结束，外婆虚弱到连汽车都没法坐，他搀着她慢慢走回家，路上外婆总要呕吐，他就在一边拍她的背，看着老人把胃吐空，吐到嘴唇发紫，浑身抖得跟打摆子一样。外婆变得和小孩子一样惧怕去医院，赫连几乎每次都骗她说这是最后一次治疗，她才勉强肯跟他去。

家里的钱已经由他来接管，他每个月去纺织厂的财务科报销医药费，去领取外婆的退休工资。有时医药费不能全报，还要低声下气地求财务帮忙。钱总是花得很快，每个月都接不上趟，他这才感到外婆抚养他是多么辛苦。家里没多少存款，他还要交高三的学费，外婆怎么都想不起来家里的存折放哪里了，懊恼地一直揪自己的头发。

"赫连，我给你准备了上大学的钱，"外婆眼泪汪汪地说，"可是我忘记钱放在哪里了，我真的一点都想不起来。"

她蒙头蒙脑的样子让他心里堵得厉害。

"我已经找到了。"他撒谎说。

这笔学费赫连拖欠了两个月，最后还是预支了老人一个月的退休工资才凑齐了。舒爸爸通过舒玥问他要不要帮忙，但他没告诉他们。舒玥在周末会过来帮他照看老人，她要比他耐心得多，外婆很喜欢女孩陪着。他们在一起看电视，听老人说过去的事，然后悄悄找机会在一起，有时只是一个拥抱，一个很短暂的吻，来自她的一点点亲密的举动就能安抚他的情绪，让他觉得一切都还好，一切都是值得的。

化疗持续了半年时间，冬天过后，老人家渐渐发福，脸都变圆了，他还觉得这是好转的迹象，只是她行动起来越来越吃力，一天到晚都萎靡地缩在一个沙发椅上，身上盖着棉被，一旦起身就要喘半天的粗气，连去公用厕所都走不动，大小解都在痰盂里，由赫连每天早晚倒掉。

有天晚上，赫连在阁楼上睡觉，忽然听见楼下咣当一声响，有东西重重地摔在了地板上。他起来开灯一看，外婆坐在一摊水里，痰盂翻倒在一边。他赶紧下楼扶起她，用毛巾擦掉她身上的水，扶她坐到痰盂上。老人耷拉着脑袋，脸色灰暗，一个劲地叹气。

"你不要紧吗，外婆？"

"我自己来，你睡觉去吧。"她慢慢说。

他拖干净地板，上去睡觉了。睡了一会儿，觉得不对，再次下楼一看，老人还是坐在痰盂上，连姿势都没换过。她自己根本站不起来，两条腿都在发抖。赫连扶她上床，盖好被子。然后关灯睡觉，夜里只听到老人粗重的叹息。

他以为外婆只是滑倒了一下，要不是第二天舒玥带爸爸来看了看，他还不知道情况有多严重。舒爸爸看见外婆不能下床，掀开被子检查了下，发现老人两条腿浮肿得很厉害，赶紧叫赫连和他一起送老人去医院。到医院赫连才晓得，外婆不是变胖了，而是因为脏器衰竭导致的全身水肿。她已经病得很重，除了淋巴的肿瘤，腹部水肿，腹腔内部已经渗血。只能住院治疗。

入春后，医院就好像成了第二个家。他们没有别的亲人，只有他能陪护。他去学校请了长假，几个相熟的同学轮换着来医院探望他们，给他带来复习的资料。他偶尔才有半天时间能够回校听一两节课，可是因为长期不上课，上学好像已经是上辈子的事。即使人在课堂上，却总觉得还是在病房里，病危的信号灯会随时亮起，挂吊的药水瓶需要换了，值班医生要来巡诊。

他从早到晚坐在病床边的椅子上，手里拿本书读，抽空背英语单词，可是整个人因为紧张而昏昏沉沉，麻木到别人叫他名字也没有任何反应，耳朵里塞着随身听的耳塞，随身听却常常忘记打开。外婆整天都在昏睡，在精神好的时候才能升起床头靠坐一会儿。她好像常常认不出赫连，看他的目光就跟看一个陌生人一样，不过总算没有排斥他。她的大小便只能在床上，都是赫连帮忙弄的。一开始赫连没有弄清楚她的排泄规律，床单脏了都不知道，但很快他就了解了，便盆用起来其实很方便，只要记得及时清洗就可以。

相比在家的时候，住院以后他吃的伙食反而变好了。外婆每天吊水，只能进食一些流质，她的那份病号饭正好给他。他不明白为什么大家说医院伙食难以下咽，这分明是他吃过的最香甜的饭菜。除非有时候因为太累或者是刚洗完便盆，不然每次他都会把饭菜吃得一干二净。医院食堂的阿姨一定对他印象很好，所以每次给他的饭菜分量都特别多，差不多是普通的双份。他的伙食都是在医院解决的。即便是这样，他还是越来越瘦，只是个子还在长高。

连舒玥一家到医院时都发现了这一点。他们带去的水果，赫连几乎一刻不停地吃了下去，吃完苹果吃香蕉，香蕉之后是鸭梨，连番茄黄瓜也不放过，如果有蛋糕之类的点心，一般都留不过夜。

"你怎么一直在吃啊，是医院的饭不够吃吗？"舒玥问，"不给你外婆留一点吗？"

外婆听见有人提到了自己，微微睁开眼睛。

"让他吃吧，他还在长身体，应该多吃一点。"

"你想吃点什么，阿婆？"舒玥说，"我让妈妈给你做点。"

外婆摇了摇头，不想吃什么。

医院里有洗澡的地方，不过住得不舒服。他晚上就睡在病房的空床，房间里的四张病床都有病人时，就只有趴睡在床边上。舒玥每次来的时候，都会替他看半天，他趁机找个地方睡一会儿，虽然睡醒以后身上反而感觉更难过。他去休息时，每次药水吊光了舒玥都能及时地叫护士来换，也不知道是怎么做到的。医院里的病人和护士都以为她是老人的孙女。

在外婆吊完葡萄糖睡着以后，趁她父母不在，舒玥和赫连会到医院的院子里散步片刻，在灌木丛边上的长椅上坐下，在确定没有人看到的时候，她把头靠在他肩膀上一小会儿，两人谁都不说话，跟两个相互依偎的老年人似的。傍晚夕阳将尽，晚霞染红了天空，她脸颊旁的发丝都闪着金色的光泽。

"赫连，你和外婆住的那个地方好像要拆掉了，你知道吗？"舒玥告诉他。

他摇摇头，已经很久没回过家了。

住院观察了一段时间后，主治医生认为老人的病情已经不能拖延，最好立即手术。赫连在医院和纺织厂之间来回跑，报销医疗费，还预支了外婆几个月的退休工资，却仍然拖欠了大部分的住院费用，手术的钱更是不知道去哪里筹集。舒爸爸帮他们垫付了部分医药费，可是赫连说什么都不愿跟他们家借钱。直到有一天，他又一次空着手从纺织厂回来，回家拿换洗的衣服，看见弄堂口贴出了搬迁的告示。他们住的街区因为市政改造即将全部搬迁。

他几乎是第一个去搬迁办的居民。工作人员问他是想换房还是要现金。

"钱。"他干巴巴地说，"我要钱。"

四月中旬进行了第一次手术。手术后各项指数都在好转。虽然老人一天大部分的时间里还是只能睡在那里，可是有了些精神，有时还能和他说上两句话，问他考试怎么样了，自己还需要多久才能出院。赫连给躺着的外婆梳头。她的头发掉得很厉害，每根头发都老得花白。

手术后的周末，舒玥一个人来医院看他们，她走的时候，外婆让赫连送女孩回去。

"她眼睛看不见，不好走路，你去送她回家吧。"

"那你呢？"

"我睡会儿觉，有事我会叫护士的。你放心送小姑娘回去。"

他送舒玥坐车回家。他们已经好久没在一起了，回去路上，两人的手一直握着，一直到下车都没松开。

"赫连，你外婆会好起来的。"她安慰他说，"你不要担心。"

下车以后，他没有直接送她回家。他们去了他住的地方，一段时间没有住人了，屋子里积了些灰，空气有点潮湿，好在阁楼每天都照进阳光，床单还是干净的。他在傍晚的飘浮的阳光里抱着她。她小声呻吟，细致的脊背好像可以任由弯折。在长久的紧张后，感觉这是特别温馨的时刻，连话也不想说一句，只是让光线从皮肤上滑过，带走了时光和爱抚的感触。她背靠着躺在他怀里，很久才动一下身体。他在清醒和迷蒙之间搂住她。

天黑之后舒玥才回自己的家。等她回去后，他坐车回了医院。病房里其他病人都在闭目休息，他以为外婆也睡了。可是外婆叹了口气，眼睛睁开来看着他。

"你们以后怎么办呢？"她口齿不清地说。

"你说什么？"他问。

"你们两个，以后怎么办呢？"外婆又说了一遍。

他不知道外婆指的是什么，没有回答她。外婆叹了口气，没有继续说下去。

"我看见你妈妈了。"外婆说，"我对她说会照顾好你的。"

这是外婆最后清醒的时候了。很快她再次进入昏迷状态，他在病危通知单上签字，医院给她动了第二次手术。手术一个星期后的夜里，他的外婆走了。走的时候很安静。那天晚上他睡得很熟，是早上护士查房时发现的。死于器官衰竭。

他在病房里陪在尸体旁边，感觉外婆不像是死掉的样子。比起活着的时候，老人脸上的表情出奇的平静，那些受病痛折磨的神情居然一点痕迹都没留下。他在病床边守到上午十点，护士来跟他说，别的病人怕房间里有死人，后面还有生病的人要用床铺。他和医院的护理工把外婆送到了太平间。

那天舒爸爸是一个人来的。他没有怎么安慰赫连，只是告诉他后面应该做些什么。赫连由舒爸爸陪着开好老人的死亡证明，办完退院手续，医院交还了一部分押金。他想起还欠着舒爸爸的医药费，但舒爸爸没有拿他的钱。

"我没有让舒玥来。"舒玥爸爸说，"我想你可能希望一个人做这些事。"

　　他确实只想一个人待着。后面一段时间他一直都是一个人，谁都没有告诉。他独自去派出所吊销户口，上缴身份证件。然后联系火葬的事，殡仪馆的工作人员问是否需要办追悼会，他摇了摇头，是否需要墓地，他摇头。他只买了个茶色的骨灰盒，装起外婆的骨灰。

　　他带着骨灰盒回到了空无一人的家里。房间里堆着里弄和工厂送来的花圈，处理完外婆的后事，他只觉得非常疲惫，几乎一碰到床就睡了过去，没有做任何梦，只是昏昏沉沉地睡着，从白天睡到晚上，又从晚上睡到白天。饿的话就吃从医院里拿回家的点心，然后继续倒头闷睡，除了睡觉的念头，脑子里完全空白一片。

　　他这样睡了一个星期，中途有人来敲过门，可能有人找他，但他没有起来。没有什么事比睡觉更重要的了，一旦睁开眼睛，心里那种冰凉的东西就好像要涌上喉咙。这种感觉在清醒时分外强烈。他在空荡荡的房间里蜷成一团，望着阁楼的窗口，发白的天幕模糊了夜空的星辰。邻居起床刷牙，孩子的嘟囔，外面有人扫地，自行车的铃铛渐渐响起。当这些声音离开后，四面又变得安静，阳光落向楼板的扶手，工厂的烟囱吐出白烟。漫长的午后犹如无人之岛，放学的小姑娘踢起了键子。然后声音又都回来了，洗菜做饭的声音，有人打开电视，电视机在播放新闻联播。夜深人静以后，只有月光照进了窗口。他像是刚睡醒一样坐起身，看见了地上放着的花圈。

　　他起来第一件事就是把花圈都塞进一个袋子里，翌日一大早垃圾车来的时候扔掉。回家的时候，他看见有个人坐在家门口的楼梯上。听见他的脚步声，舒玥转过面孔。

　　"赫连。"她说。

第八章

黑骑兵

那是张年轻的脸，因为年轻而显得残忍。

那是我的脸，很多年前我的面孔。

我带着那本书走到了原先囚禁湖精灵的树下，精灵少女离开以后，古树已经枯萎，树上的叶片都掉光了，只余留光秃秃的树枝。那些藤蔓也已经成了干枯的藤条，不能再带我上到树顶。我背靠树干坐在树根上，抱着怀里的书。月亮刚升到头顶，四周静悄悄的，如同世间万物都在沉睡。

只有故事醒着。

我怀抱的书里有一个写完的故事。在写完它的时候，心里某个部分终于也平静下来，我不再会受到折磨。我想我可以面对自己的恐惧了。翻开这本黑色的书，看一个孩子是怎样慢慢长大，慢慢学会面对他的人生。许多人物从故事里走了出来，曾经认识的人，曾经的家人，曾经爱过的人。就连害怕的东西都会在阅读中成为真实。

我在月光下阅读这本书。黑骑兵是什么时候出现的，完全没有注意到。也许他从来就是跟我在一起。我看见他从黑暗中出现，骑着黑马慢慢走过来，手中握着锋利的长刀。他的眼睛透过面具的眼孔望着我。我感到害怕了吗？我到底是在害怕他，还是害怕自己的故事？

在最后的时刻，男孩透过火车的窗户，看见一个瘦弱的身影。那个年轻的黑骑兵。年轻的黑骑兵走出了他的故事，而他，却成为自己故事里的人物。

黑骑兵，如果你想得到这本书，那我就读给你听。

我念出书里的句子，一页又一页，时间在流逝。随着阅读的进程，黑骑兵失去了他的长刀，失去了他的坐骑。他生命中的一切东西都在失去，只有悲伤留下。

每个夜晚你都要砍断她的脖颈，每个夜晚你都在折磨自己。在你年轻时，你觉得自己无比强大，可以和整个世界对抗。可是你最终会知道，那整个的世界，都不过出自你的心灵。是你的心塑造了它们，你永远不能对抗你的心。

在黎明到来之前，我读完了这本书。合上书以后，清晨的第一丝曙光照在我们身上，他悲伤地站在那里，脸上的面具掉了下来。他的面孔终于露了出来，那是张年轻的脸，因为年轻而显得残忍。那是我的脸，很多年前我的面孔。那时的我年轻而残忍，无论对自己还是对别人。

他是年轻时的我。

他们很少说话，只是在一起散步，回家，收拾屋子。他们在和风的午后在运河边休憩，听渡轮响起的低沉笛声，运送煤渣的拖船吃水很深，船工背着草帽，光着脚在船帮上行走，将竹竿支向河底。可以看见船上的人家，无法辨别年龄的女人卷着裤腿在小木桌前吃面条，两个小孩尖叫着在船头跑来跑去。舒玥挽起绕着脖子的头发，手搭在他的手臂上。下雨了，他们两个都慢慢地走在雨中，雨水打湿了她的衬衣，路过的年轻人大吹口哨，完全没有发觉她是个盲人。

在不上学的日子里，舒玥尽量陪伴着他。一个人的时候，有几次等学校放学了，他走进操场，坐在双杠上。他没有回去学校的打算，也没有其他的打算，既不知道以后会怎么样，也不想去考虑。从来没有这么轻松和自由，也觉得从来没有这么迷茫和绝望。十七岁，孤身一人，有个恋人，也许这是最后可以留恋的东西。但年轻时所拥有的一切注定不能长久，就犹如年轻本身。

经过百货商场，他看见橱窗里的一只咖啡色的玩具熊，和舒玥的那个很像，就好像是一对里的其中一个。他几乎从来没有买过什么礼物给她。以前他没有钱买，现在他觉得他应该买给她。她一定会喜欢。

老人的衣服都整理出来，打包卖掉或者扔掉，在整理家里的东西时，他在五斗橱的底部找到了那件绿色的棉大衣。他九岁时坐火车带来的，外婆到底没舍得扔掉。棉大衣又厚又沉的，带着樟脑丸的味道，他抖开来穿在身上，现在刚好合身，不再像是在身上裹着条被子，可是以后也穿不到。他把手插进大衣口袋，摸到一张卡片样的东西。

是张工商银行的存折。

我给你存了上大学的钱，可是我忘记放在哪里了。外婆眼泪汪汪地说。

　　这些是外婆退休后帮人家打杂做保姆攒下的钱，她一直惯着他，从来没有让他吃过苦。他忽然难受得透不过气，穿着沉甸甸的棉袄，站都站不起来。拼命用牙咬住棉衣的袖子。袖子被咬烂了，露出里面发黄的棉絮。最让他难受不是因为外婆离开了他。他因为老人生病而觉得麻烦，他因为老人的痴呆觉得难堪，他有时甚至会呵斥她，他做了那么残忍的事，却一点都没有意识到。就算在外婆去世以后，他的心里还是多少有解脱的感觉。不，不，别这样。他想。别这样对我。别让我知道我是个多么自私的人。请原谅我，请原谅我。现在惩罚来了。他是个没有家的孩子了，他再也没有亲人了。

　　"你在想什么？"舒玥问，"是在想考试的事情吗？"

　　他摇了摇头。

　　"我没去参加考试。"

　　"你可以复读一年，爸爸觉得你至少应该参加毕业考试，然后明年……"

　　"我不想再读书了。"他说。

　　舒玥沉默了一会儿。

　　"可是……你以后怎么办？"

　　"这里可以住到年底，以后我会找别的地方住。"他说，"以后的事谁也不知道。我不知道以后还能不能在一起。"

　　她发了会儿呆，明白他说什么了。

　　"你要去哪里？"她轻轻问，"你是想离开我吗？"

　　"我不知道……"他说。

她没有说话，只是用手捂住面孔，他移开她的手，亲掉泪水，感觉怀里的肩膀颤抖得厉害。

"我要告诉爸爸我们的事，我要告诉他们我要和你在一起。"她说，"我们家房子很大，你……可以住在我们家，妈妈一直想要个男孩，你也知道他们喜欢你。从小到大我想做什么他们都顺着我的，我要告诉他们我想和你在一起，不管你以后读书还是做什么其他的。我什么都看不见，你别扔下我……"

他默默地亲吻她。后来他们都不怎么说话，只是拥抱在一起，甚至没有做爱，他只是想抱着她，靠近她。这是他们在一起的最后一个夜晚。她感觉到什么，把手放在他脸上。

"小狗，你怎么了？"

他控制不住地流眼泪，低头在她的怀里，只是非常难过。就连她柔声安慰都起不了作用，她像姐姐安慰弟弟一样安慰他，小声劝他不要哭了，这样下去她也要跟着哭了。她一遍又一遍地抚摸他的头，就好像他是她的孩子。可是越是这样，他就越是不能自制。

他以后也会这么对她的。就算他现在全心全意地爱她，他以后还是会忍不住刻薄地对待她，认为她拖累了自己，即便她是这个世界上他最爱的人，可是她仍然是个瞎子。他没有力量负担两个人的生活，他现在连他自己都不知道去向哪里。他们不会成立家庭，永远都不会。要怎么样才能不失去她？他连中学都没有毕业。他还需要忍受很久，直到煎熬使得他们分开。

她的父母会帮助他，就和以前一样。可是他辜负了他们，他们都不知道舒玥和他的事。再纵容孩子的父母也不能忍受他人的欺骗。他一直在欺骗，利用他们的好意。他始终是在依靠别人，始终软弱得像个孩子。虽然他已经不再是一个九岁的男孩，可是他不知道怎么才能一个人活下去。在意识到这一点时，他的懦弱和胆怯帮助他做了决定。

时间很晚了，他送她回家。他们慢慢走到她家的院门，她转过身，好像刚想起来一件重要的事。

"有件事我想告诉你……不过我还吃不准。"

"什么事？"

她的手放在腹部，犹豫了一会儿，然后微笑着摇了摇头。

"算了，今天太晚了，以后我再告诉你。再见。"

她亲了他一下，进了院子。他看着她穿过院子，进到屋里，屋子里的灯亮了起来。然后他往回走，回到了自己的家，开始收拾行李，准备了两个包，把所有的钱都带在了身上。家具能卖的已经卖掉了，不能卖的就留在屋子里。他带了几本书，随身的衣服，外婆的骨灰盒。那件棉大衣最后也塞进了行李箱里。

做完这些，他其实根本没有意识到自己在做什么。他在阁楼的床上躺了一小会儿，感觉床单上还留有舒玥的香味。他想起有那个礼物还没送给她。后来他坐起来，等着天慢慢发白。在天亮之前，他背着背包，提着箱子离开了屋子，把钥匙放在了门口。

他好像在梦游一样，一手提着行李箱，一手抱着一个玩具熊。街上没有一个人。他走到舒玥家的院门前，把玩具熊摆在门口，然后转身走开。走了几步，他又走回来，伏下身体，亲吻她最后站立的地方。

清早没有公共汽车，他走到火车站时，天空已经发白。售票员问他去哪里。

别的地方。他说。

售票员给了他一张快要开车的火车车票。

他提着皮箱，穿过候车厅，火车就停在月台。他直接上了火车，把皮箱和背包放上行李架，然后坐在靠窗的位置。他不知道火车会去哪里。他低头等待着。时间那样漫长，他希望时间永远停留在这一刻。但是很快车头就开始鸣笛，车轮下放出一团团蒸汽，火车渐渐开动了起来，他知道再也不可能停下了。

火车带他离开了这个城市，就好像一个无法结尾的故事，去往一个永远都无法到达的地方。

老先生坐在旁边的树根上，看着我和黑骑兵，他也听完了这个故事。他是那么的苍老，有一天我也会变成一个他那样的苍老的人，就如同黑骑兵会变成我。

"你是什么时候意识到的？"老先生问，"什么时候意识到这里的一切都只是一个栩栩如生的故事？你自己创造出来的故事？"

"在我开始给女儿写这个小说的时候。"我说，"我希望我感觉错了。因为我希望这里一切都是真的。"

古树在消解，森林在消失，小镇在消失。眼前的一切都在逐渐消失，它们露出了本来的面目，它们只是故事里的场景。它们正在回到它们诞生的书里，我写给女儿的书。

现在，还有最后一个问题。

"我的女儿呢？"我问，"我的女儿她在哪里？"

黑骑兵和老先生都看向同一个方向。那个火车的站台。

她走了。她坐火车离开了这个虚构的地方。她去外面的世界找她真正的爸爸去了。

"所以，你也要离开了，是吗？"老先生说。

"是的，"我说，"我要去找她。"

在跳下站台前，我最后看了一眼他和黑骑兵。我看见他们在晨光里渐渐淡去，就好像从来不存在一样。

我开始沿着铁轨奔跑，我跑入了隧道，隧道里什么都看不见，没有火车，没有铁轨，只有无尽的黑暗。我的头部开始感觉到疼痛，肺部仿佛有刀刺入，双腿像是要断掉了，我看见隧道的尽头，那里有刺眼的光线，不知道是外面的亮光还是迎面驶来的火车。我无法逃避，我再也不想逃避了。

光线呼啸着向我扑过来，我闭上眼睛，准备迎接它，迎接属于我的结尾。

第九章

舒玥

他不再梦见她，

他忘记她了，就像忘记了一个甜美的故事。

在医院醒过来的时候，我感觉浑身都在疼痛，连换个卧姿都很困难。在我清醒到可以理解发生的事情后，医生姑娘告诉我一个月前发生的事情。那天晚上我掉下去的时候，砸碎了楼下游泳馆屋顶的防雨玻璃，掉进了泳池，游泳馆的人打了急救电话，救护车来得很及时。

"右腿和左手臂都骨折了，肋骨也断了两根，还好没扎进心脏。你应该庆幸脊椎没有受伤，以后重新站起来和走路应该都没问题。听明白了吗？"她说，"不过呢，以后怕是不能用高难度的姿势了，这就叫教训。"

我感觉脑袋昏沉沉的，伸手摸了摸，脑袋上缠了绷带，头发都剃光了。

"怎么……回事？"

"你摔下来以后大脑里有血块，所以做了开颅手术。现在有一个好消息和一个坏消息，你想先听哪一个？"

"坏消息。"

"肿瘤还在你的大脑里，因为连着中枢神经，没有办法做手术切除。"

"……好消息是什么？"

"在你昏迷的这一个多月时间里，这个肿瘤也停止生长了，就好像跟你一起睡着了一样。虽然以后怎么样不知道，但如果一直保持这个状况，你大概还能写很长时间的小说。"

我觉得浑身疲乏，闭上眼睛。

"你先休息吧。有事可以叫我。"她把手放在我眼皮上，"那个肿瘤的形状有点像是个胚胎，很有趣……像是个小小的婴儿……"

我昏昏沉沉地听着，又睡了过去。

醒来一周以后，我才渐渐习惯了自己现在这副样子。我的腿上还打着石膏，肩部还固定着绷带，头发剃得很短。等到了第三周，我感觉脑袋不是那么沉重以后，问护士要了笔和纸。医生姑娘问我要不要笔记本，我说不要。一方面我的背时常感到疼痛，不方便抱着笔记本电脑，另一方面我现在更希望用纸和笔来写，就和很久前刚开始写东西时一样。

我歪在病床上，拿着块写字板，试着在稿纸上写字，一开始脑子里总是找不到合适的词句，而且平躺的姿势实在别扭，一天下来都写不了几个像样的句子。不过我觉得那都不是问题，我只需要慢慢地把它写出来就行了。

随着背部伤势的好转，我逐渐能坐起身来，每天写作的速度也在逐渐加快，从几十个字到几百个字，从几句话到几页，想写的东西渐渐有了形状，每一天都在生长。我还是时常觉得疲倦，精神集中不了几个小时，到抵抗不住的时候，我就把稿纸放在枕头边，休息一会儿，一边理顺接下来的思路。

在醒后的第二个月，我可以下床走动了。两条腿几乎不像是自己的，它们很难撑住身体的重量，第一次触地我就摔倒了，然后用力扒着床尾的铁架才爬得起来。我三十岁，这一刻却必须重新掌握走路的技巧。

医生姑娘每天都会来病房看我，在天气好的下午，会扶我到院子里做康复治疗。我和她好像两个认识了很多年的朋友。我欠了很大一笔医药费，身上又没有多少钱了，只有用房子抵押向银行贷款，也许卖掉房子才可能付清。

"以后别再来一下了。"她说。

"不会有下一次了。"我说，"一次就够了。"

她整理了我堆在床头柜上的稿纸，装订起来，读了已经写下来的一部分。

"比起你以前写的书，我更喜欢你正在写的这个故事，"她说，"这个故事很动人，虽然你还没有写完。"

"我也希望能写完。"我说。

她翻了翻稿纸，翻到最开始那一页。

"有个问题想问你。"她说，"不知道是不是我看漏了，为什么你在小说里始终没有写那个男孩父母的事？"

"你为什么想知道？"我说。

"因为我很好奇。"她说，"是你忘记写了吗？"

"不，不是。"

我把稿纸拿在手上，过了会儿。

"我不知道该怎么写。"我说，"他的妈妈是南方人。"

"然后？"

我沉默了一会儿，还是说了下去。

"他的妈妈是南方人，在上山下乡那个年代去了北方的农场。那里冷得像西伯利亚，她嫁给了那里的一个伐木工，在生男孩时因为难产死了。男孩一直跟着爸爸住在森林里。爸爸是哥萨克和汉人的混血，四十年代苏联军队进入东北时的事……小时候一直被人叫做小哥萨克，杂种，野毛子，个子很高，脾气暴躁，话很少，一旦喝醉酒就变得很吓人，破口大骂，又砸又摔。他晚上经常喝得醉醺醺的。每到那个时候，男孩就缩在床角等待一切过去。他的爸爸并不打他，只是非常可怕地咒骂他。"

"男孩九岁那年的冬天，有个晚上，他爸爸又喝醉了，醉得嚎啕大哭，他摇摇晃晃地站了起来，脱光了身上的衣服。他以为爸爸是要睡觉了，但爸爸打开了屋门，光着身子走到了外面。那天晚上在下大雪，屋子外面冷得可怕。他一动不动地坐在炕上。看着寒风夹着雪花吹到屋子里，不知道是吓呆了，还是因为别的原因，他什么都没做，只是等在家里，没有去把那个喝醉酒的爸爸拉回家。男孩一晚上没睡着，一直裹在被子里睁着眼睛。本来他可以做点什么的，可是他什么都没做。"

"第二天早上雪停了。别人在路上发现了他爸爸。那天夜里，他的爸爸冻死在了外面。整个身体都被冰冻住了，要用铲子才铲得起来。男孩没有别的家人了，木场里的工人联系到了他的外婆。外婆收留了他。"

"我没有写进小说里，是因为我觉得那个男孩要求我不要写出来，所以我从来没有写出来过。你觉得我应该写下来吗？"

她沉默了一会儿。

"这有助于读者了解小说里的人物，"她说，"但写不写出来毕竟是作者的自由。"

"不是我的，是那个男孩的。"

"是的，那就让那个男孩来决定吧。不管怎么样，我希望这个故事有个好结尾。"她说，"我觉得你的编辑也会喜欢这个故事的。"

"你们见过？"

"他知道你出事以后来看过你好几次，那时你还在昏迷。我们一起吃过几次饭。"

"你晚上是和他约会吗？"

她有点局促地看了看我。

"你怎么知道？"

"你应该相信我的观察力，"我笑着说，"他是个很好的人，我觉得你们在一起很适合，希望你们能够顺利。"

"好吧，谢谢。"

她微微笑了笑。

"你恢复得很快，我想你很快就能出院了。我还以为是你头脑里的那个声音提醒你的。你现在还能听见那个声音吗？"

我摇了摇头，我没听见那个声音。那天晚上以后，那个小女孩的幻影从我眼前消失了。

在医院又住了一个月后，我基本已经康复，虽然走路还有点瘸，有时会觉得身体像在高原一样乏力，但这些都会慢慢好转，我可以出院了。

出院那天，她送我下楼，一直送到医院门口，她拍了拍我的肩膀，笑着说，"记住哦，以后不能用太激烈的姿势了。"

"我会注意的。"我说。

"出院以后你想做什么？"她问，"继续写书吗？"

"我想先去一个以前住过的地方。"我说。

"别忘记定期来医院检查。别留下什么后遗症。"

"如果没有遇到你，我现在可能真的就死了。谢谢你，"我说，"你是个好姑娘。"

"不，我不是好姑娘，"她微笑着摇头否认，"但那是另外的故事了，我才不会让别人知道。"

我们挥手告别，她是一个非常好的姑娘，我希望她以后能幸福。

回家整理了些东西，在第三天买了火车票，当售票员问去哪里时，我差点都忘记了那个城市的名字。很久前在那里住过。比起上海来说，只是一个小小的南方城镇，尽管火车和车站都已经焕然一新，老式的蒸汽机车换成了新式的动车，但我仍然觉得一下子返回了过去的时候。

路上时间其实很短，连半天都不用，只要看看书，很快就到了。靠窗座位上是一个高中生样子的女孩，路上一直在听iPod，也许是出去旅游的。她问我是上海人还是那个城市的人。我想了半天，觉得自己既不是上海人，也不是那个城市的人。我不是南方人，也不是北方人。我不属于任何一个地方。

当火车到地方以后，她先下了车。也许是坐的时间太久，我的腿有点麻木，差不多是最后一个下离车厢。我站在站台边沿，看见了一个男孩。他茫然无助地站在站台上，脸上带着慌乱和紧张的表情，脚下是一个脏兮兮的包裹，好像在等待他的外婆来接他。一个佝偻着背，因为缠脚而走路蹒跚的老人走了过来，跟男孩说了一句什么，男孩点了点头，然后他们拿着包裹往出口走去。我一直望着他们，直到站台上只留下我一个人。

走出车站，本来想坐公共汽车，可是汽车站连路线都变了，犹豫了一会儿，还是叫了辆出租车，告诉司机路名。司机和我年龄差不多，路上接到他老婆一个电话，问他什么时候回去吃晚饭。看了看手表，确实到吃晚饭的时候了。

司机把我拉到一个商场门口停下了，说是到地方了。我看了看外面，觉得他可能走错路了，又重复了一遍路名。

"是这里。"他说。

可是我只看见了一个像是来福士广场那样的百货商场，灯火通明的商场里人来人往。那些石库门老房子，那些窄小的弄堂，那些纺织厂下班的工人都去了哪里？我吃不准，只好问司机这里原来是不是纺织厂的居民区。

　　"是啊，这里原来是一个很破的地方，后来房子全部扒掉了，造成现在这个商场了。"他说，"你以前来过这里？"

　　我谢过司机，付了钱，在商场门口下车，背着旅行包从玻璃转门进入商场里面。商场里和上海、北京这样的大城市根本看不出任何区别。左面是Nike，右面是Esprit，正前方是Lee，年轻人在店里挑选时尚的衣服，穿着制服的保安手持对讲机从我身边走过，大堂服务台前节日的装饰还没有去掉。我背着包站在通道上，不知道去哪里。

　　我想还是应该先找个住的地方。去服务台询问了一下，知道楼上就有个假日酒店。乘电梯上去，到酒店订了一间房，把行李放下。虽然肚子不饿，但还是去商场下面的肯德基店吃了汉堡套餐。在吃汉堡的时候，我才忽然意识到，原来这里也有肯德基了。

　　从快餐店的橱窗往外看，商场门口的马路也拓宽了，可以看见马路对面还是那片花园住宅。那一幢幢西式风格的房子还在那里，有的房子里亮着灯，应该还有人住。时间太晚了，也许白天会看得更清楚。吃完汉堡，我返回楼上的客房，关上房间里的灯拉开窗帘，看着下面的城区。我已经不认识这里了，所以需要时间来适应一下，就一晚上好了。

　　夜里睡不着，靠在枕头上修改稿纸上的文字。我想我感到了紧张，就和害怕正在写的小说一样，害怕已经被时间改变的和没有被时间改变的东西。在感觉眼睛酸涩后，我放下稿纸，关上灯。无论如何，小说都需要一个结尾，这样它才能成为一本书。这是我必须做的。

第二天快到中午时，我离开酒店，从人行道过了马路。这片花园洋房看起来变化不大，也许都没有翻修过，只是围墙的铁栅栏重新刷上了一层黑漆，有的院子里荒废着，长满了野草，有的打理得很干净。入口第二家人家在院子里养了条雪橇犬，雪橇犬一听见脚步声经过就霍地站起来，兴致勃勃地打量经过的人。路边有几棵梧桐树好像移走了，多数都还是以前的样子。

我走得很慢，花了一刻钟才走到最里面的那排房子。从围墙的缝隙看进去，花园里种着许多花，衣架上晾着几件女式衣服，房子里应该有人住。抬起头，望向二楼的窗口，记忆里那个窗户是红色的，有一次，那个男孩想叫女孩出来，扔了一粒小石子，结果打破了玻璃。现在这个窗户涂成了白色，玻璃也是完好的。

院门右边新安了个门铃，我按了门铃。房子里好像响起了铃声。我等了一会儿，有人才从底楼急匆匆地走出来，穿过花园。院门打开了一点。

"你找谁？"一个五十多岁的阿婆问。我不认识她。

"请问……舒老师在家吗？"

"这里没有这个人。"她摇头，"你走错了。"

我愣了一会儿。

"那现在谁住在这里？"

"你问这个干什么？"

"我朋友以前住在这里，我正在找她，"我说，"你可以帮我问一下吗？"

"房东现在不在家，我只是帮忙打扫房子的。你下午再过来看看吧。"

她关上了院门。我在原地站了一会儿，慢慢往回走。

时间还很多，有点不知道怎么打发。我沿着街道，漫无目的地走了一阵儿。有些消失的记忆仿佛又浮了出来。街角那个电影院还在，外婆第一次带男孩去看电影，给他买雪糕。他不小心把雪糕碰掉在地上。纺织厂好像已经搬走，在原来的厂址上造起了很多幢商务楼，厂后面的运河的堤坝加固了，水好像也变清澈了不少。运煤渣的拖船改成了运送黄沙等建材，沿岸有高层住宅。女孩曾经拉着男孩坐在岸边，问他敢不敢下去游泳。女孩的爸爸在草地上教他们放风筝，女孩手松掉了，风筝晃悠悠地飞上了天，一直飞到了运河的对岸。

我从桥上走到运河对岸，又走了一阵儿，发觉自己已经快要到学校附近。不是男孩读书的中学，而是那所盲童学校，附近地区有眼疾的孩子都会来这里入读。学校的大门还是以前的样子。我习惯性地想走进去，被门卫拦住才醒过来。这么多年过去，她早就不在这里了，不可能在这里找到她。

正好是课休时间，我坐在操场边的台阶上，一个女老师在带很多孩子拍篮球。这些孩子拍起篮球来居然有板有眼的，好像听见篮球弹起的声音就很开心。

一个篮球滚到我脚边，老师跟着球走到我跟前。我捡起球拍了两下，递给她。

"是来接放学吗？"她问。

"差不多。"我说。

　　她点点头，跑回操场上，把球还给丢球的男孩。

　　我在学校停留了一个下午。放学后。校门口很多家长来接孩子。我站起来，离开了学校。

　　时间差不多过了五点钟，马路上人流明显多了起来，电动车和自行车不时从我身边经过。我走回那片住宅小区，来到院门前按响了门铃。

　　铃响了三次后，上午那个阿姨出来开了院门。

　　"房东回来了吗？"我问。

　　"没回来，他在外地做生意。"她说，"不过我打电话帮你问了下房东，房子是三四年前从原来住在这里的人手上买下来的。好像原来是住着一个眼睛看不见的女的。"

　　"他说原来住在这里的人搬到哪里去了吗？"

　　"说是要去外地，不然不会把房子卖掉的。具体房东也不清楚，好像要去疗养什么的。"

　　"其他没有了吗？"

　　"没有了。"

　　我沉默了一会儿。

　　"谢谢。"

　　"你和原来住在这里的一家很熟？"她问我。

　　"很熟悉。"我说。

　　"哦，请等一等，差点忘了。"

　　她返回屋里。过了十分钟左右，提着一个皮箱到门口，放在地上。箱子很旧，表面一层灰。

"这是原来那一家留下的，搬家的时候忘记拿走了。房东在电话里交代说，如果你找到原来的房主，请转交给他们。"

"好的。"

她关上了院门。

我随后按了隔壁两个房子的门铃，但都没有人在家。于是提起皮箱，走回了酒店。

回到客房的第一件事就是试着打开箱子。箱子虽然上锁了，可是锁扣已经锈坏掉，搭扣很容易就打开。打开箱盖，心里忽然跳动了一下，一只咖啡色的玩具熊躺在皮箱里。

我拿起来玩具熊。玩具熊的绒毛已经快磨平了，耳朵都秃了一块，身上有股霉味，但我还是感觉到了一个熟悉的气味。也有可能只是错觉。就像医生说的那样，是肿瘤压迫了神经。

我揉了揉眼睛，放下熊仔，查看箱子里其他的东西，箱子里有两本是盲文书，其他的都是小说，包括一套希腊神话故事。随手拿起来翻了翻，翻到雅典娜诞生的传说。雅典娜披着金光闪闪的盔甲，从她父亲宙斯的脑袋里一跃而出。很有趣的故事，我想起她抱着脑袋说，那一定很疼。

在书本下面是几盘磁带，没有看见标签，可能是音乐录音带，身边没有录音机，只好把磁带放在一边。箱子里其他东西就没有了。没有找到任何箱子主人去向的消息。线索就此中断。

我把东西放回箱子里。我不知道他们的联系方式，不知道他们搬去了哪里。他们很可能已经不在这个城市。毕竟十年不是短暂的时间，谁的生活都会改变。这个箱子大概就是我这次旅行唯一的收获了。

　　因为房费是每天中午结算，我又住了一个晚上，第二天睡醒起来，洗了个澡，然后带上行李去酒店前台退房。前台问我是不是去火车站，她可以帮忙查询订票。我刚想说是，可是一个模糊的念头忽然闪了出来。

　　"请帮我查一个地方的电话号码。"我说。

　　电话号码几乎一下子就查到了。我拿起手机，按号码拨通了电话。那边有人接起来了电话。

　　"请问找谁？"

　　"我想问一下，你这里有没有住着一个女孩？"

　　"女孩？对不起，我们这里是……"

　　"她是个盲人。"

　　那边停了一下。

　　"请问你要找的这个人叫什么名字？"

　　"她叫舒玥。"

　　电话那边停顿了下来。我听见话筒里自己呼吸的声音。

　　"有的。"

　　对方停了一会儿，说，"她是住在我们这里。"

　　我在车站等到一辆去郊区公园的公共汽车，乘了上去。也许是因为还没到下班高峰的关系，汽车没有坐满。车开得不快，中途陆续有人上车和下车，开了快一个小时才到终点站。终点站离公园的边门还有点距离，一路上道路都很僻静，高大的树木从公园的围墙里露出树冠，很适合喜欢徒步旅行的人。受伤的右腿有点别扭，我又走了十五分钟才到疗养院门口。

疗养院的大门开着，甚至都没有门卫，大概平时也没什么人会到这里来游玩。道路两边的灌木丛从院门口一直延伸到两幢建筑前，中间隔着一个喷水池，池子里养了几条锦鲤鱼。有个老太太正在喂鱼吃面包屑。我问她院长室怎么走。她告诉我在右边这幢楼里，可能是看我带着行李，就问我是不是来办理入院手续的。我说是来见一个朋友。她点点头。

我走进右边的楼里，在二楼最里面的房间找到了疗养院的院长。院长五十多岁，戴副眼镜，对人很客气。当我说自己就是打来电话的那个人的时候，她摘下眼镜，打量了我一会儿，我觉得她的目光略有点戒备，仿佛对什么事情有所保留。

"你在电话里说，你是她的朋友？"

"是的。"

"可以告诉我你们是怎么认识的吗？"

"我们小时候认识的。我家和她家住得不算远。"我说，"我认识她的爸爸和妈妈。也许他们都还记得我。"

"你是不是很长时间没和他们联系过？"

"可能有十年了，我搬家了，后来就失去了联系，一直没见过他们。"

"你怎么知道她现在在这里的？"

"我一直在外地，昨天才刚回来，去了他们原来住的地方……"我犹豫了一下，改口说，"是听他们的邻居说的，不过他们也不确定，所以我才打电话来问一问。她现在真的在这里吗？"

"她现在是在这里。"

"那……我现在可以见她吗？"

院长看了看我，片刻后点了点头。

"可以的，"院长站起来，说，"她住在对面的楼里，我带你去见她。"

"谢谢。"我说，"这样会打扰她吗？"

"我想不会。应该没什么问题。"

我和她下楼，沿走廊往疗养院的另一幢大楼走去。另一幢大楼有六层高，造型类似于一个折纸飞机，楼房的两端都和机翼一样向后弯折，底楼有部电梯，不过我们还是走的楼梯。一路上碰到两个互相搀扶着上下楼的老人。走到三楼时，看见一个十几岁的男孩坐在阳台的椅子上，院长停下来问他是不是在晒太阳。男孩温顺地点了点头。

"下午我可以吃点心吗？"他问。

看见我在看他，男孩有点不好意思。

"我饭量很大。"他小声解释说。

"可以啊，但别吃太多了，不然晚饭就吃不下了。晚上有糖醋排骨。"

院长摸了摸男孩的脑袋。我们离开男孩，继续往楼上走。

"这个男孩也住在这里？"我问。

"他和一般的孩子不太一样，不适应外面的生活，住在这里他感觉更适宜点。"

"这里好像没怎么变过。"

"以前你来过？"

"小时候来过一次。"

"舒玥的房间在楼上，马上就到了。"院长说，"这个地方名义上是福利院，住进来的大多数也都是孤寡老人，不过也有一些人是在这里疗养几个月，等康复了再回到外面去。当然因为地方有限，我们还是只能有选择地收留。"

我很想问院长舒玥为什么会住在这里，她的父母是不是也在。快走到四楼时，我实在忍不住疑问，问院长："她是在这里疗养吗？是为了治眼睛吗？"

院长没有马上回答。我们已经走到四楼，从走廊往里走，房间都是一个个小单间。走到倒数第二个门口时，她停了下来。这间房间的房门开着，里面安静得像是没有人住着一样。房间里摆设得很干净，有衣橱、书桌和椅子，一张单人床。床上铺着天蓝色的床单，被子铺了一半。床右边朝南的窗口打开着，窗帘掀了起来，是那种白纱一样的窗帘，微风吹过窗口，扬起白纱窗帘，在房间里逗留了一阵儿，然后穿过房门，掠过我们身边。

走进房间，房间有一半都照着阳光，有张轮椅停在窗前。轮椅上的人面对着窗口，眼睛是睁开的，好像正静静远望着窗外的景色，公园，湖泊和树林，连有人走到身边都没察觉。

"舒玥？"我说。

她仿佛没有听见。我又叫了她一声。

"没用的，她听不见。"院长说。

"听不见？"我说，"她只是眼睛看不见……"

"她变成现在这个样子已经有很多年了。她是高度自闭的孤独症患者。"

"你说什么？"

我看着院长。可能看我不太明白，院长又解释了一遍。

"有个日本作家写过一个失明的聋哑儿，失去了对外面世界的一切感觉，一辈子生活在混沌的黑暗里。她跟那个情况有点像，但她是事故以后才变成这样的，在很多年以前。你们以前认识，那你肯定记得她原来不是这样的。"

"发生了什么？"

"你真的想知道？"

"当然……想知道。"

"是一次车祸。"院长说，"在她还不到二十岁的时候，有次在离家不远的一条马路上遇到的车祸。她好像要过马路，没有注意到从对面工地开出来的卡车。还好她爸爸推了她一把，救了她的命。卡车只是从她腿上轧过去。但她爸爸被车撞到了。"

"她的爸爸……？"

"没有抢救过来。送到医院后就死了。"院长说，"一开始大家没敢告诉她这件事。她一直问爸爸在哪里，爸爸在哪里。葬礼以后她才知道。从那时开始，她就不太出门了。她把自己关了起来。她好像什么都不在意了，每天只是呆坐在轮椅上，既听不见别人叫她，也感觉不到别人存在。"

"……她怎么会在这里？她的妈妈呢？"

"她的妈妈照顾了她几年，直到查出患了癌症，因为希望自己走了以后女儿有个安顿的地方，就把房子卖掉了，把女儿送来这个疗养院，说起来我算是他们家的远房亲戚，虽然关系不是很近。她把舒玥托付给我。三年前她去世以后，舒玥就一直住在这里了。"

院长走到轮椅前面，握住轮椅里的人的左手。

"她就跟洋娃娃一样，就算你碰她她也感觉不到，完全不会有反应。她把什么感觉都隔绝掉了。在把自己关在房间里以后，她也一定是把所有的感情都关在心里的一个房间里了。尤其是她还失去了她的孩子。"

我抬起头。

"孩子？什么孩子？"

"车祸发生的时候，她已经怀了八个月身孕。婴儿没有保住，小产了。"

"是谁的孩子？她有没有说过孩子的爸爸是谁？"

"不知道，她没有说过。"

我沉默了一会儿。

"那是个女孩，是吗？"

"是个女婴。"

　　我感觉耳内响起很多声音，血管在脑后突突地跳动，我抬起右手捂住后脑。

　　"你怎么了？"院长问。

　　"没什么，我只是想起来小时候……我把她看成我姐姐。"我说，"……我不知道事情会变成这样。"

　　"你想单独陪她一会儿吗？"

　　"是的。"我说，"谢谢你。"

　　她坐在轮椅上，很长时间都没有改变姿势。房间里安静得好像谁都不在一样。我试着对她说话，但总是不知道怎么开口。她既感觉不到我的存在，也听不见我说什么。我搬了张椅子，坐在轮椅旁边，和她一样面对窗口。窗外是公园的景色，阳光明媚，湖泊上波光粼粼。风吹动窗纱，有时会拂在我们脸上。她的手平放在盖着毯子的腿上，脸上跟做梦一样平静。也许是这份平静的关系，她看起来不太像三十岁，可是她也不是原来的样子了。尽管有些陌生的感觉，可是陪在她身边的时间越久，我就越感觉到又回到了过去的某个时刻。

　　阳光逐渐在改变角度，光线的颜色也在偏暗。我在轮椅旁坐了一下午，一直到天色接近黄昏。我想起来那个皮箱，皮箱里是她的东西。起身打开箱子，从里面拿出玩具熊，放在椅子上。当我把书和磁带放在桌子上时，才注意到桌子上有台小型音响，按播放键，放的是古典乐CD，听不出是什么曲子，只知道是钢琴。

　　我对音乐始终了解得不多。听了一会儿，想换个音乐，试着拿起一盘皮箱里的磁带放进音响。估计带子的磁粉已经掉了很多，开始根本听不出什么东西来，可是忽然间，磁带里就传出了一个女孩的声音。她的声音。

"赫连……"

她的声音在磁带里说。

"这里是舒玥广播电台（笑）……第一次播音。我是在干什么呢？好像又在做很傻的事情了（声音变轻）……还好现在没有人在家，不会有别人听见的，不过我听自己的声音还是很奇怪，原来我的声音是这个样子……是不是你一直以来都是这样听我说话的？我都快没勇气继续录这盘磁带了，真有点泄气。可是我不会写信，所以想出了这个办法，把要说的话录下来，录在磁带上。这盘磁带就是我写给你的信。但是我不知道你去了哪里，我不知道应该怎么寄给你。

"你走了快两个月了。你刚走的时候，我以为你只是暂时离开家去公园什么地方散心了。那个门口的小熊是你留给我的吗？我很喜欢它。我把它和原来那一个放在一起。它们就像是一家人。这么一想，其实我一直都把你当成是自己的家里人。从小家里就只有我这么一个小孩，妈妈一直开玩笑说要再给我添一个弟弟。我想，如果不是因为遇到你，我一定会觉得很孤单，就好像你离开以后我感觉到的。

"回想小时候的事，其实也就是几年以前。我想起你第一次给我读书时的声音。我忘了那天读的是哪本书了，我记得你的声音很轻，有点发抖，我必须仔细听才能听清楚。读书是一件很吃力的事情，尤其是读那些很厚的小说的时候。其实我并不是非想听那些故事不可，有时候，我让你读书给我听，只是希望你能陪伴着我，就好像在漆黑的夜晚两个人一起走路，就不会很害怕。

"这个比喻是你读给我听的，我自己想不出来，光亮和黑暗对我来说没有区别，我觉得它们是一回事。从一出生我就看不见东西，所以这个对我来说并不是特别难过的事。我不觉得自己可怜。只有当你拥有了一件东西，却失去它以后，才会觉得真正痛苦。

"我要是知道你去了哪里就好了。这段时间对你来说一定特别难熬。你从小没有爸爸妈妈，现在你的外婆又走了。你心里该有多么难过，是因为这样你才走的吗？我只能安慰一下你，却什么忙都帮不上。哎，可怜的小狗。我不想成为你的负担。我常常想，如果我不是个瞎子，我们会怎么样呢？我们可以在一起吗？在你最难过的时候，我一定可以一直留在你身边。你也就不会离开了。现在你一个人在外面怎么生活呢？你还会上学或者读书吗？你会停留在世界上的哪个地方？那边的人对你好吗？"

"我常常在想那天晚上……那天晚上，如果我告诉你这件事，你是不是会留下来呢？我不敢告诉你，就像我不想告诉我的爸爸妈妈。那天晚上我还吃不准，现在我才知道这是真的，可是你已经走了。……赫连，我想我怀上你的孩子了。我有点害怕，我们其实都还是孩子，结果我有了你的孩子。但我很高兴这是真的，我觉得自己以后不会孤单了。这会是我们的孩子。

"现在我已经可以感觉到他了，好像他一直在动。虽然有时候身体会觉得不舒服，可是我觉得心里一直温暖着，我想生下这个孩子。

　　"爸爸妈妈知道这件事了。他们问是不是你，我不想告诉他们。我想他们是会原谅我的。我一直很听他们的话，但这次我很固执。后来他们只能同意了（我把自己关在房间里，妈妈先同意的）。希望他们原谅我。我只是想生下这个孩子。不知道会是男孩还是女孩呢？不管是男孩还是女孩我都会喜欢的。我只是担心小孩的眼睛会和我一样。但爸爸说应该不会，因为我的失明是不会遗传的，而你又是个正常的男孩。

　　"你还在写故事吗？我觉得你以后一定可以成为写书的人。我眼睛看不见，所以我才能看清楚，就算世界上没有人认为你能做到，我也确信不疑。赫连，你会成为那些星星里的一颗，和那些最伟大的星星在一起。我相信会有这么一天的，我会听到你的名字，会有人读你的书，读你写的故事。你现在在哪里？你遇到了怎样的经历？我真想你能写信给我，我想能听见你的声音。你还会回来吗？爸爸妈妈说你也许再也不会回来了。可是我觉得你会回来，就算时间过去很久。我也不知道为什么会这么想，可能这只是我的希望吧。很久以后的一天，你会回来这里，把你的故事告诉我们。"

　　磁带到了尽头。

　　我关掉了录音机。

　　我在公园附近找了个住的地方，以后一段时间暂时不会走了，一方面可以每天去看她，另一方面希望在这段时间里把这个小说写完。她一直没有开口。我还是只能从磁带里听到她的声音。录音机里是她十年以前的声音。闭上眼睛，她好像就在我耳边告诉这些事情，和以前的许多个夜晚一样。

　　我不知道她能不能听见磁带里她自己的声音。她饭吃得很少，需要别人喂食。在她坐在轮椅上或者靠在床上时，我只是沉默着待在一边。我不知道应该怎么和她说话，也不知道应该说些什么，只是有时会推着她到院子里晒晒太阳，呼吸下新鲜空气。疗养院和公园只有一墙之隔，周末天气不错，我问院长能不能带她出去走走，得到允许后，我推着轮椅带她去了公园。

　　从公园边门走进去，大概不到一百米就是湖泊沿岸，湖面形状大体上是圆形，和杭州西湖有点相似，当然比西湖要小得多。湖水的河湾部分架起了拱形石桥，经常有划桨的小船从桥洞里通过。也许是假日的关系，放眼望去，湖面上漂移着许多游船，竟然还能看见皮划艇，大概是划艇运动队在训练。我沿着岸边慢慢行走，路上都很安静，只有轮椅的轮轴发出轻微的擦响。岸边的杨柳拂动着光秃秃的条枝，带来一阵阵含着湖水味道的清风。她的头发也被吹了起来，几缕发丝绕到了我的手上。

　　沿着湖走了大半圈，我有点累了，便停下来坐在草坪上，面对着湖水。她坐在轮椅上，长发好像留住了阳光。我的内心空荡荡的，仿佛始终感觉不到痛楚，爱不是一种感觉，而是一种能力。我已经失去了这种能力。这么久以来，我像鬼魂一样游荡在这个世界，是那种无法再去爱，也无法接受爱的鬼魂。

　　因为，他已经很久没有想起那个眼睛里有光的女孩了，他不再梦见她，他忘记她了，就像忘记一个甜美的故事。

他去了很多个不同的地方，从离开的时候算起。离开时他十七岁，随身带着不多的行李，还有一盒骨灰。在一个靠海的城市，他洒掉了它，几只海鸥追逐着轮船的尾浪和波浪间的粉末。在用光身上的钱之前，他找到了份短工，在餐馆洗碗和倒垃圾，晚上关门以后，他裹着铺盖和其他打工的人睡在饭店的大堂里，在黎明时会听到海浪拍打岸边，就像有人在远处召唤他。他做了三个月，拿到了一点工钱。转身去了另一个城市。

在每个城市他待的时间都不算很长，别人看他还是个孩子，不太为难他，就算检查到也没有把他关进收容所。他被遣返了两次，都是中途下车，去了另一个地方，如果没有打工的机会，在停留一阵子后他会毫不犹豫地离开，然后去下一个城市。在一年多的时间里，他去了很多个不同的城市。有的地方属于山区，每天在街道上行走就好像在上坡和下坡，有的地方雨水充沛，在停留的日子里从来没见过太阳。有的地方非常贫困，很多年轻人和他一样坐火车去南方打工。人们在短暂的同路后各奔东西。

他觉得自己像是在梦中旅行一样，但目的地永远不知道在哪里，只是随心所欲的从一个地方到另一个地方。他在旅途中遇到过有趣的人，也遇到人生远比他艰难的人。他晕船晕得厉害，厌恶火车，讨厌长途汽车，不能容忍车厢里的异味，虽然成年以后很少犯病，但他还是本能地逃避冬天，那些气候温暖的南方城市是他的首选，然而在这些地方他又无法停留下来，好像他的心仍然在寻找一个熟悉的角落安歇。

　　上海是他最后来到的城市。这里有许多的机会可以让一个年轻人在这里生活下来，但那不是他留下来的最主要的原因。它像那个他住了九年的地方，人们说话的口音都那么相似。这个城市的冬天也很少下雪，却异常寒冷。

　　他是初冬时去的，和路上一个结识的女孩一起。那个女孩来自靠海的地方。在刚来的那段时间，他和人打了一架，眼部的淤血引起了低烧。女孩让他住在她的群居房里。她比他小一岁，晚上做招待，在酒吧卖啤酒，找到一份在小公司当前台的固定工作。她一直照顾到他身体痊愈。她偷钱，偷公司同事的，室友的钱，也偷他的，都是小数目。她心地其实很好。在寻到工作以后，他给她留下一笔钱作为房费，离开了那里。

　　是这场病让他觉得，这个城市就是他应该留下来的地方。过去的那些旅行开阔了他的眼界，却也让他厌恶了变动。他再也没有喜欢过旅行，不同的风景再也无法让他感觉新奇。一切并没有不同，人的劳碌奔波，人的生老病死，在每一个城市都重复上演。所谓的风景线只是一种虚幻。当一个人早晨醒来，完全想不起自己身在哪里，那不再是新鲜感，而是不安的地狱。

　　旅行结束了。他想。

　　起初的一两年，他在适应这个城市，摸索自己能够站立的位置。他做过很多工作，做过失败的保险推销员，混日子的房产业务员，超市里搬货的伙计，广告公司苟且度日的文案……

　　最喜欢的工作是当一个小书店的店员。在当店员的那段时间，他看完了书店里所有的文学书目，和书店老板很谈得来，那是个上了年纪的女人，喜欢穿吉卜赛风格的长裙子，喜欢海明威和伊萨克·巴别尔的作品。她有轻微酗酒的问题，每次身体不适，她的选择是喝两杯威士忌。威士忌是治疗感冒的特效药，她笑着说。是她帮忙介绍了出版社的编辑。书店生意难以维持下去，她说想去国外生活，就把书店盘掉了，后来他才知道她吃安眠药死在一个旅馆里，死的时候身边只有一本海明威的《死于午后》。

　　那个小女孩是什么时候出现的？那个只有他能看见的小女孩？伴随着第一次的头疼。日渐一日的庸碌，毫无作为的生活。一开始只是一个模糊的影子，后来逐渐清晰，她在默默观察他，默默伴随他。他记起以前有个人对他说，你会成为写书的人。你会成为作家。他忘了那个声音，忘了曾经憧憬的那份激动。是的，他会说故事，即便他什么都没有，即便他最后什么都没有留下，但他还有那唯一的才能。他会说故事。

　　说故事吧。那个幻影说，把你心里的故事说出来。把不安和沮丧，失落和愤怒，把幸福和温暖，把希望和梦想都变成你的故事。把一切一切都变成你的故事。来吧，看看那到底会怎么样。他已经活了二十多年，一事无成，备觉孤独，他觉得自己将这样死掉，就跟所有其他人一样。我们最后都将迎来那平庸的死亡，然后，等待那无垠的黑暗。

他开始写小说。从二十四岁写到二十六岁，写出了第一本。他认识许多女孩，其中有几个曾经短暂进入他的生活。他误解和伤害过别人，也被别人误解和伤害，这是无可避免的事，所有人的人生里多少都会经历。

在他还在为第一本书而努力，生活捉襟见肘时，身边的女孩出于善意劝他放弃，他冷冷地叫她滚蛋。没有人可以阻止他写作。有一次他咆哮着对一个姑娘说，别妨碍我写东西，不然我掐死你。那个姑娘在他眼睛里读到了他的疯狂，他的确会这么做。后来她再也没有出现过。

许多人在他生活里消失了，他也从很多人的生活里消失了。由于不顺和煎熬，他变得异常偏执，不能容忍别人对他小说的任何批评，觉得那是对他的最大污蔑。有个朋友拿他的小说开玩笑，他一拳打在那个朋友的下巴上。他失去了那个朋友，他的朋友越来越少，但他从来没有后悔过这一切。

因为有个小女孩的幻影始终陪伴着他。在他深夜独自书写的时候，她来到他身边。他会读给她听。他以为她真的在身边。

他继续向那个目标前进，直到真的成为一个写书的人。

在他成为作家后，审读以前写的稿子，他既惊讶于他以前的创造，不敢相信那些小说真是他自己写出来的，有时也无法抵御对自己的质疑，怀疑那些东西真正的价值。在低潮时，他很想将这些书付之一炬，烧个干净。但在内心平息下来后，他慢慢理解这些是他生活仅有的东西了。无论金钱、感情、名声，甚至是他的生命，都不是他自己的，随时都有外在的力量能够夺走。只有他的书，他创造的那些故事，才是真正属于他的东西，任何人都无法剥夺这个事实，他创作了它们，把它们带到这个现实世界，赋予了它们生命。

他写出了第一本书，写出了第二本书，然后又写出了第三本。三个黑暗的故事，由同一个心灵塑造，黑骑兵策马狂奔。写作成为一种惯性。他不是写作机器，他的创作始终植根于心灵，一旦心灵枯竭，他就失去了赋予故事生命的魔力。即便有些故事如同幽灵般缠绕着在耳边。写下来，它们在耳边低语，把我们写下来，可他仍然颓废地坐在椅子上，面对空白的显示屏。

他去过很多的地方，足够远的地方，但有时，他会觉得自己哪里都没有去过。他还停留在那个小小的城市。

他对一切都慢慢地不在意了。他不在意别人对他的书的评价，不在意读者告诉喜欢他的作品，他自己已经不再看以前写的东西，就连阅读的习惯也渐渐失去。他衰老得那么快，连对姑娘都失去了兴趣。一切都在枯竭，故事渐渐远离了他。他再也不是迫不及待地想写下它们，看文字连成漂亮的句子。它们察觉了他的冷淡，于是离开了他。他只余留了写作的本能，而失去了写作的能力。

他发现了自己的局限，他始终在同自己搏斗。这场搏斗一开始刺激血性，如同斗牛的伤口，可是消耗了生命本身的热情，当每一天精疲力竭地从睡眠中醒来，他失去了面对现实的勇气。脑部的肿瘤是个再好不过的借口，让他可以觉得一切不是自己的错，终点到了，故事告一段落，一旦死后长眠，就不用再去想接下来的情节，所有的文字都会消失，所有的书都会失去意义。他终于找到了一个真正可以逃避的办法。并不是死亡选择了他，而是他选择了死亡。

即便那个幽灵般的女孩仍然在他身边陪伴着他，守护着他。直到他死了以后，他才明白他错得有多么厉害。在他死了以后，他才感觉到这一点。他失去了她，那个始终在冥冥中关心着他，给予他爱和信任的幻影。

"我从来没有想过会在死前见到自己的女儿。因为我从来不知道自己有一个孩子了，而且那个时候，我不知道自己其实已经快要死了。"

我自言自语了很长时间，完全不记得自己说了什么。这是个温暖的午后，年轻的情侣在湖上泛舟，儿童乐园里的孩子在玩旋转木马，发出一阵阵快乐的尖叫。我疲倦地把头埋在她的羊毛裙上，隔着裙子感觉她的体温，然后哭了起来，眼泪不能控制地一直流淌。

很久后，我感觉到有只手放在我的头上，轻轻揉摸着我的头发。

"小狗，你怎么了？"

"对不起。我回来了。"

第十章 爸爸

如果这一切都是真实的，

那么，我的女儿，你也是真实存在的。

我想我也许会停留很长一段时间。

有段时间，我一直在做梦。我梦见我又来到了那个森林里的小镇，从车站走向那幢带花园的房子。一路上有个人一直牵着我的手。我看见了守护熊和老先生。他们在院子里的石桌上下三人跳棋，那空出来的位置应该是留给我的。我坐下来，想起了那个寓言，如果想描绘地狱，必须见识真正的地狱，可是如果想描绘美好和幸福，你也必须用心体会生活中的每个这样的时刻。以后我想把这些时刻都写下来。

我梦见自己在森林里穿越了无穷的黑暗，在黑暗道路的尽头，一面镜子闪烁着微薄的光芒。我来到了它的前面，它映出了我的形象。镜子里是年轻的黑骑兵。他摘掉了面具，手上握着那把直刃马刀，好像在问我是否准备好了。然后，马刀从镜子里向我直劈下来。头疼得像裂开一样，却什么声音也发不出，直到那个小小的身影离开了我的头脑，站在了我的面前。

请问，你是我爸爸吗？

她轻声问。

是的。我是的。

我永远都无法明白，为什么你会成为我的女儿，我又为什么成为了你的爸爸。我希望我能看见你的出生，看见你第一次走路，听见你说的第一句话。我希望每年你的生日，都能陪伴在你身边。我希望你不要那么早出去和男孩约会。我会读书给你听，其他人写的故事，我写的故事。我想带你去坐火车旅行，我想能看见你。

你知道，我只是个幻影，我只有生活在这里。我只有生活在你的故事里。

女儿轻轻牵起我的手。

给我一个肩膀就可以了。

我感觉她靠在我的肩膀上。我是那么的难过，以至于无法抬起面孔。

我不知道什么是真实。一个人的痛苦难道不是真实的吗？那些情感的温暖难道不是真实的吗？那些温柔的抚摸难道不是真实的吗？并不是摸到、看到、品尝到，才是真实。你感觉到，你知道它是真的。

阳光是真实的。迎面吹来的轻风是真实的。你喝的咖啡是真实的。手术刀是真实的。伤口流出的血是真实的。身体的疼痛是真实的。心灵的痛楚是真实的。每个夜晚的孤独是真实的。每个故事的悲伤都是真实的。每个故事里的美好都接近于真实。

如果这一切都是真实的，那么，我的女儿，你也是真实存在的。

这一天，我在疗养院的房间里醒过来，我坐在床边的椅子上，伏在床角，手上还拿着一页没写完的稿纸。我想我大概是在写东西时不知不觉睡着了，睡得有点吃力，睁开眼睛一会儿后，才恢复了些精神。

我直起上身，揉了揉脸。好像又到了傍晚了，阳光倾斜进房间，照在坐在轮椅里的舒玥脸上。不知道是不是风的关系，我感觉她的睫毛在轻轻颤动，好像小虫的翅膀。

"你刚才睡着了，是吗？"

我听见对面有个声音问。

我看向床的对面，那里坐着一个小女孩。小女孩双手捧着小脸坐在那里，梳着两条辫子，穿着一件粉红色的毛衣，看见我在看她，她不好意思地吸了吸鼻子，拿出一块白手帕擦了擦，鼻尖有点泛红。

"我……"

"你怎么在我妈妈的房间里？"她问。

"你说什么？"

女孩耸耸肩，跳下椅子，从双肩书包里拿出一把小巧的木梳，给坐在轮椅上的人梳理长发，梳得很认真，就好像在给她的芭比娃娃梳发一样。

"她是你妈妈？"我问。

"是啊，"她说，"你是谁？你认识我妈妈？"

"我是……她过去的朋友。在你妈妈很小的时候我们就已经认识了。"

"为什么我以前没有看见过你？"

"因为……我去了别的地方，现在才刚回来。"

小女孩看了看我。她很漂亮，就像她的妈妈。她的眼睛明亮，犹如春天的溪流。

"真的吗？"

"真的，"我说，"我已经来了好多天，怎么没见到过你？"

"我这段时间感冒了，到医院吊盐水去了。"

她又吸了吸鼻子，一脸无可奈何的表情。

"一到冬天我总是会生病，好难过啊。"

"……你今年几岁？"

"十一岁……"她伸出两个手掌，然后又加上一根食指。

"你爸爸呢？"

她摇了摇头。

"我住在院长婆婆家里。……我想起来了，院长婆婆说过，有个妈妈以前的朋友来看她，我想那个人就是你了。"

我目不转睛地望着她。小女孩熟练地挽起妈妈的头发，用一根粉红色的丝带打了个结。做完以后，她拍了拍手，问我是不是觉得好看，我点点头。

"你和你妈妈长得很像。"

小女孩对我笑了起来，露出整齐的牙齿。

"你手上拿的是什么？"

我看了看自己手上拿着的稿子。

　　"是一个故事，你来之前，我在读给她听。"我说，"她以前很喜欢听别人说故事。"

　　"妈妈以前是什么样子？我是说她小的时候？"

　　我想了一会儿。

　　"虽然她眼睛看不见，但她很小的时候就已经很漂亮了。"

　　"妈妈现在还是很漂亮的呀，"女孩说，"你觉得她有一天会回来吗？"

　　"回来？"

　　"我觉得她好像去了很远的地方旅行，不过有一天，她会回到我们身边。"

　　"我想会的。"我轻轻说。我想会的。

　　女孩认真地点头。

　　"我觉得姐姐也在等妈妈回来。"

　　"姐姐？"我看着她，问。

　　"我本来还有个姐姐。"小女孩说，"我和姐姐一起出生的，只有我活了下来。可是不知道为什么，我一直觉得她还活着。我觉得姐姐也在陪着我和妈妈。"

　　我沉默了一会儿，点了点头。

　　"是的，我也觉得她在这里。"

　　我也觉得她在这里。

　　小女孩手撑在窗栏上，望了一会儿公园的方向，然后从床上拿起一件蓝色的背心夹克衫，穿在毛衣外面。

"快吃晚饭了，我想推我妈妈出去走走。"她说，"你要不要一起来？"

"好的，我来推轮椅。"

我站起来，握住轮椅把手，把轮椅转向门口。

"你叫什么名字？"她问我。

"赫连。"我说。

"哪两个字？"

她伸出手，我在她手心上写了一遍。

"这下我们算是认识了，等一下你可以告诉我一些妈妈小时候的事吗？"她说，"你知道很多她小时候的事情，对吗？"

"很多很多……"我喃喃地说。

"你说什么？"小女孩问。

"关于你妈妈……"我说，"我有很多很多的故事想告诉你。"

"好啊。"她笑着说，"那你会一直留在这里吗？"

我会一直留在这里，直到故事说完的那一天。

小女孩走在轮椅旁边，我们一起走出了房门。这时我忽然感觉到，回头看了看窗口。窗前出现了一个小小的身影。

每个故事里都有真实的部分。故事永远有真实的成分存在。

我看见了我的女儿。她就站在那里。她看了我一会儿，微笑了起来。

后记

一件礼物

　　《沉睡的女儿》这个小说是我的第五个长篇。从零九年六月写到八月底，三个月时间完成的。其实这本书应该更早一点写出来的，早在零八年的五月，我就写完了第一章。那时正写到在车站上遇到等爸爸的小女孩。我和女儿互相看着，都有点不知道怎样面对对方。可能我们都还没有做好相遇的准备，所以我暂时把稿子搁下来，直到年底完成了《秀哉的夏天》的写作。

　　之所以提到《秀哉的夏天》，是因为这两个小说都和孩子有关。不同之处在于一个是男孩，一个是女孩。写作时倾注了许多感情，所以他们是我的孩子，就好像是我小说的儿子和女儿。似乎我和一个小男孩在作品里度过夏天后，终于觉得可以面对自己的女儿了。于是，我重新回到了那个森林小镇的站台上，和那个等爸爸的小女孩一起完成了剩下的故事。

　　这里我还是想说明一下，其实女儿这本书的结构并不像想象中的那么复杂，不存在任何让人觉得头晕的设置。只不过是一个孤单的人在说一个他和女儿的故事。在他说的故事里，故事里的人物又说了一个故事，这个故事里的故事才是真实的故事。也就是说，本来属于虚构的，才真正是真实的，本来属于真实的，却披上了虚构的外衣。我不知道这样解释清楚了没有，还是打个比喻吧。

如果有一个俄罗斯套娃。在它里面套着另一个小玩偶。真正的礼物藏在最里面那个最小的玩偶里。

到目前为止，我已经写了一些不同的故事，出版了两三本书。尽管是这样，但我还是没有想到自己有一天会写个关于女儿的小说，就好像不知道自己真的会选择以写作为生。现实中的我并没有女儿。

忘了当时为什么会想写这个小说，那也许是人生中某个糟糕的时刻，糟糕到我自己都已经想不起来。我不知道小说开始部分，那个写不出东西来的作家，是不是就是我自己。现在看起来还挺有趣的。唯一能够想起来的，只是一个小女孩的形象。

大概我就是这样把这个小说写出来的。在写作的过程中，我一直能感觉她的存在。虽然我知道她是虚构的，正如这个世界上每一个故事，每一部小说，每一本书，都只不过是虚构的一样。可是虚构也是一种真实。从这个意义上来说，故事才有存在的价值。

这应该不是一个特别感伤的小说。更像是一个迷路的大人，在森林里独自摸索人生的意义。直到有一个小孩子牵着他的手，领他走过了这一段路。我想，《沉睡的女儿》讲的就是这么一个简单的故事。

小说是八月三十一日写完的。这一天也是新小说家文学大赛截稿的日子。感谢人民文学出版社，《萌芽》杂志社，99网上书城，和"新小说家"的各位评委老师。

我想把这本书给一位过去的亲人。她已经去世很多年。

希望每个阅读这本书的人，最后都可以看见一个小女孩温柔的微笑。

因为，这个俄罗斯套娃式的故事，是我送给小说里的女儿的礼物。甚至对我来说，这才是真正的礼物。

哥舒意

二零一零年一月于上海

图书在版编目（CIP）数据

沉睡的女儿/哥舒意著. －北京：作家出版社，2016. 1
ISBN 978－7－5063－8188－8

Ⅰ.①沉…Ⅱ.①哥…Ⅲ.①长篇小说－中国－当代
Ⅳ.①I247.5

中国版本图书馆 CIP 数据核字（2015）第 174526 号

沉睡的女儿

出 版 人：葛笑政
作　　者：哥舒意
责任编辑：汉　睿
特约编辑：赵　衡　肖文佳
装帧设计：潘伊蒙
出版发行：作家出版社
社　　址：北京农展馆南里 10 号　邮编：100125
电话传真：86－10－65930756（出版发行部）
　　　　　86－10－65004079（总编室）
　　　　　86－10－65015116（邮购部）
E－mail：zuojia@zuojia.net.cn
http://www.haozuojia.com（作家在线）
印　　刷：三河市紫恒印装有限公司
成品尺寸：142×210
字　　数：160 千
印　　张：7.75
版　　次：2016 年 1 月第 1 版
印　　次：2016 年 1 月第 1 次印刷
ISBN 978－7－5063－8188－8
定　　价：29.00 元

哥舒意作品推荐

已出版

《如果世界只有我和你》 哥舒意/著

如果在末日，我和你。

一个爱与守护的故事，一本让男人也会流泪的书。

末日地震后，城市沦为一座孤岛。

三十岁的男人和六岁的男孩儿被留在世界中心的孤岛上。

一个是普通的失败的上班族宅男，一个是缺失父爱又失去妈妈的孤独男孩儿。

在孤岛，相依相爱，而离别汹汹而至。

他们要如何对抗这个覆灭的世界？我又该怎么守护你？

如果明天一切都结束了，什么是梦想？什么是幸福？什么是爱？

每个人都是一座孤岛，但孤独源自爱。

哥舒意"爱的三部曲"为爱而生

已出版

《中国孩子》哥舒意/著

一个小男孩在妈妈去世后被养老院的老人们收养了。

他患有孤独症，不会读书写字，看不懂别人的表情，

没有普通孩子那么聪明，就像"雨人"一样。

他是个"中国孩子"，心地单纯而善良，几乎没有和外界接触过，

直到有一天，一名美丽的女孩意外地走进了他的生活。他们成为了朋友。

在这个世界上他只看得懂她一个人的表情。

有一天，女孩忽然从他生命中消失了，

却留给他一件比生命还要美好的东西……

哥舒意"爱的三部曲"为爱而生